L'abandon

19/04/2001

Pour Benoît,
En espérant que la lecture
ne soit pas trop difficile.
Mais surtout, merci de
prendre si bien soin de papa.

[signature]

Du même auteur

Chez le même éditeur:

Le temps des jeux, roman, 1961, Prix du Cercle du Livre
    de France.
L'eau est profonde, roman, 1965.
Dans les ailes du vent, roman, 1976. Prix France-Québec.

Diane Giguère

L'abandon

roman

Tu viens
de bon, tu ne
J'appréhe
J'ai attend
route puis je
réagir, gelée
glace n'adouc
plus froid de l
Sur la tabl
chinoises que
laissé, bien en
prétexte à rev
que chose me
La seule vu
Je me suis
en m'arrêtant
lune, tantôt à
tits tableaux e
ornés d'orchid
de magnolia. E
se sont brouillé
rêt de stèles de

ÉDITIONS PIERRE TISSEYRE
5757, rue Cypihot — Saint-Laurent, H4S 1X4

La publication
du Conseil des

Données de

Giguère, Di

L'aband

ISBN 2-

I. Titre.

PS8513.I35
PS9513.I35
PQ 3919.2.C

L

C

pèlerinage pour y déchiffrer de mystérieux signes sur les dalles, j'ai pensé à ta vie et mon cœur alors s'est serré. Cette rivière où s'en va une jonque poussée par le vent, c'est bien toi qui s'en va, oui, dans l'orage, dans la nuit.

«Hélas...», as-tu dit avant de t'en aller. Puis, tu as souri, refermé la porte et tu es parti.

Navrée, je regarde la jonque abandonnée aux caprices des flots et du vent et dont on ne sait si elle arrivera à bon port.

Dehors, l'arbre que tu as planté, il y a quatre ans, s'enneige doucement.

Au fond de l'âtre, la bûche que tu as jetée sur le feu avant de partir se consume lentement.

Tout allait bien, il me semble, jusqu'à hier soir... Nous avons parlé une bonne partie de la nuit. Au début, je n'ai pas cru à l'autre. Je croyais que tu cherchais à me rendre jalouse. «Je veux que tu saches que je t'aime, que je ne t'oublierai jamais, mais il faut être raisonnable», as-tu conclu en bouclant ta valise.

Se peut-il que la raison, chez toi, puisse l'emporter sur le cœur?

Ah! La pensée qu'une autre ait pu se glisser entre nous me brûle et me déchire.

Douleur muette... Qui ne se répand pas en imprécations brutales. En réalité, je suis atterrée et ma main reste figée au bord de ce paysage où flotte la jonque et où souffle le vent. Tout se confond soudain avec les récifs où elle se dirige et son petit batelier, tracé d'un seul trait au pinceau fin, qui scrute le ciel d'un regard épouvanté. Il n'y a personne au milieu de ces forêts désolées, de ces montagnes couronnées de neige, pas âme qui vive, tandis que la jonque s'éloigne, s'en va à la dérive. Partout, l'absence... Qui me rappelle à chaque minute, à chaque seconde, ton départ imprévu, subit comme l'orage sur la rivière.

Doucement, je tourne les pages... Il y avait là, auparavant, je ne sais plus à quelle page, un signet, qui n'y est plus! C'était un rouge-gorge de Hongrie, brodé sur feutre noir. Sur le ruban qui servait à marquer un de ces paysages que nous avons souvent regardé ensemble, ton nom, Endre, était gravé en fines lettres, rouges également. Je ne m'étais pas rendu compte que le signet avait disparu.

Je tourne une à une les pages, plusieurs fois. L'as-tu pris? Ou l'ai-je perdu? À ce dernier mot, je frémis... Et mon regard fixe soudain la porte que tu as refermée en disant «hélas!».

Devrai-je donc me repentir à vie de t'avoir perdu? Au fond, ce que tu as voulu laisser, c'est un éternel regret de toi!

Je relis les pages de mon journal, que j'ai rédigées en octobre et en novembre 1988. Tu étais parti ces mois-là encore. Nous avions décidé de ne plus nous voir, mais tu me téléphonais parfois pour me dire que tu m'aimais, que tu cherchais à m'oublier, qu'il le fallait. J'étais convaincue que tu reviendrais. Tu finissais toujours par revenir. «C'est au moment où le cœur déborde de tendresse qu'il montre le plus d'indifférence et parfois même de cruauté» me disait ton ami Laszlo. Alors, j'attendais. Je guettais la route avec impatience... Octobre, novembre furent des mois ponctués de soleil et de froid. J'allais me promener sur la route ou dans le bocage près de la maison où nous aimions prendre le thé certains après-midi très chauds de l'été et où je m'étais souvent assise au pied d'un arbre pour y dessiner les fougères, les écureuils, les différentes espèces d'oiseaux. L'on chassait encore à cette saison et l'on entendait la détonation des fusils dans le bois. La lune, le soir, montait dans les bouleaux, me rappelant douloureusement l'enfant que tu avais été un jour et ce père dont tu regrettais, peut-être, à ton insu, l'absence, entrevu un jour sur le quai d'une gare au milieu des champs où poussaient des milliers de coquelicots. De cela, tu te souviens.

D'octobre, de novembre aussi, du fameux bain de sang de Hongrie.

Tu avais treize ans lorsque les premiers dix mille morts tombèrent à Budapest, le 23 octobre 1956. C'était le soir. Tu avais peur. Tu ne savais pas ce qui se passait. Quelques jours plus tard, tu es sorti de ton abri, tu as vu les tramways renversés, les chars d'assaut, les immeubles éventrés et les étoiles rouges mises en pièces, jetées parmi les décombres. Fin novembre, il a fait très froid. Vous manquiez de charbon, d'électricité. Vous deviez enjamber les cadavres dans les rues pour aller à la boulangerie. Ton père avait une fois de plus disparu. Des cinq années qu'il a passées en Sibérie, alors que tu n'allais pas encore à l'école, tu ne sais rien.

Peut-être que cet inconnu fait partie, depuis toujours, de ton théâtre d'ombre auquel tu travailles depuis tant d'années, de cette vallée fleurie de coquelicots où il t'est apparu, un jour, et qui a laissé dans ta mémoire cette blessure de l'enfance que, tous, nous conservons, comme un premier visage de l'amour, que le temps a altéré et qui, depuis que tu es parti, n'éveille plus aucun écho humain. Seuls les fauteuils veillent dans la pénombre...

Tu n'es plus là, hélas! Comment souffrir ton absence, sans amertume, sans dépit? On dit que la douleur touche mieux un cœur généreux... Ah, mais que faire de la maison? Y as-tu songé? Comment rester ici, au bout du monde, toute seule?

Il me faudra bien quitter cette dernière adresse permanente que je croyais posséder sur terre et, à l'heure où il fera nuit alors que ces fauteuils vides me rappelleront, plus que jamais, ton absence, je m'en irai, moi aussi, mais sera-ce vraiment loin de toi? Et j'hésiterai peut-être sur le pas de la porte, comme toi, avant de la refermer et d'abandonner la maison au froid, au silence.

2

La maison est vendue.

Je n'arrive pas à me réhabituer à la ville. Dès que le temps le permet, je prends la route des montagnes. Je laisse la voiture en bordure de la route et je continue à pied. Je descends vers le lac où nous allions nager. J'écoute la décharge de la rivière qui s'y déverse. Des petits îlots de pierres moussues y fleurissent, pâles dans le soleil de juillet où tout crépite et flambe. Le parcours de la rivière se réduit à certains endroits à de minces filets d'eau, mais avant de se jeter dans le lac, elle se gonfle, s'élargit, tombe par-dessus un barrage, en immenses chutes d'eau. Des hérons viennent pêcher sur les rives du lac, aux abords des baies surtout, où il y a moins de vent. L'eau y est si claire qu'on peut voir jusqu'au fond. C'est plein de poissons qui dorment dans les herbes et de crapets soleil qui nagent en faisant des bulles.

Aujourd'hui, le temps était lourd et chaud, et mon cœur se taisait dans le feu de midi tandis que je contemplais le lac et les marécages qui ont dressé des frontières naturelles entre l'homme et une végétation abondante, étouffante. La boue du sol y est si instable qu'on y enfonce comme dans des sables mouvants.

Je n'ose m'aventurer trop loin, seule. Je reviens tard le soir, épuisée. Parfois, je m'attarde jusque passé dix heures. Je marche sur la route poudreuse jalonnée de joncs, de quenouilles. Tout est tranquille, tout se tait, comme mon cœur, passionnément, dirait-on.

Il m'arrive de repasser devant la maison vendue. Elle paraît fantasque dans le bleu du soir avec ses volets ornés de campanules et son rosier qui grimpe sur un mur crépi de blanc. Au fond du jardin, qui déjà se délabre, le vieux puits à coiffe et la balançoire immobile sous la lune qui se lève.

J'ai jeté l'album d'aquarelles chinoises au feu. C'est tout le ressentiment dont j'ai été capable. J'ai vécu durant des mois dans le silence, essayant de faire la sourde oreille à la douleur. Je m'y suis tant et si bien appliquée qu'elle a fini par rentrer dans son trou. On dirait un chien à l'échine creuse qui contemple un vieil os, mais parfois elle se glisse à travers les interstices des volets que je croyais bel et bien clos et elle ouvre mon cœur à coups de greffoir. La chair des souvenirs y est toute fraîche encore et il me semble que la plainte opiniâtre de la rivière y retentit.

Chaque fois, je descends plus bas vers la rivière, je me penche sur le gouffre des pierres où rugit l'eau et où quelques bouquets de cèdres aux troncs convulsés ont pris racine. Suspendus dans le vide, ils semblent triompher de l'étroite sphère où la nature les a confinés, mais on croirait entendre dans le bruit des flots qui se cabrent l'effroyable allégresse du néant. Je ferme les yeux. Je tremble au bord de l'abîme.

On dirait que tout fuit, que tout retourne au silence, et le vol muet des chauves-souris serait à peine visible si ce n'était des clartés fuyantes sur lesquelles leurs ombres se projettent ainsi que l'ombre de l'amour qui se rappelle sans cesse à moi.

Mais où le chercher, au-delà de ce qui est déjà dépassé et perdu?

3

Il y a toujours une vieille maison qui me fait rebrousser chemin en voiture. Perdues au fond des bois, enterrées sous les feuillages, visitées uniquement par quelques bêtes égarées ou des chasseurs en automne, ces maisons réveillent en moi, comme lorsque j'étais enfant, le goût du mystère, de l'enchantement.

C'est là que j'aime peindre, dessiner, le dimanche, lorsqu'il fait beau. Des arômes ardents montent de la terre que la canicule couvre de feu. J'écoute, là aussi, le silence. Il est plus supportable maintenant.

Parfois, ces maisons se plaignent, elles font craquer leurs vieilles jointures et leur vertige me saisit à mon tour, celui de l'absence, sans doute, qui persiste et qui lentement émerge sur la toile, mais transfigurant le réel, m'introduisant dans la région mystérieuse de l'existence intérieure et des images mentales.

Des objets oubliés traînent dans les jardins redevenus sauvages, dans les maisons, sur les galeries, objets dont le temps a effacé la figure originelle pour leur substituer des images de puissance et de réalité poétiques comme les objets-paysages dans les musées d'art contemporain. Une chaise blanchit sous un arbre, de la ferraille se tord sous le soleil, des morceaux de bois ont pris des formes curieuses avec le temps, étranges sculptures nées du hasard. Je marche sans bruit dans les allées serpentantes comme à l'invisible trame d'un piège. Des buissons enchevêtrés, des plantes grasses, repues de tout l'humus que cette pourriture environnante a formé, ont envahi ce qui était sans doute autrefois une pelouse et les objets qu'on y a laissés. Je ramasse des clous, du carton, des nœuds de ficelle, que j'assemble, et les objets redeviennent vivants sous mes doigts. Épars dans les jardins, ils ouvrent un nouvel espace, celui du rêve et de la rêverie.

Dans ce paradis des bêtes, la végétation est exubérante et on y entend, là plus qu'ailleurs, le chant du grillon, la stridulation des cigales. On y observe, mieux qu'ailleurs, la fourmi laborieuse, le travail des guêpes, des abeilles, gardiennes vigilantes des portes au-dessus desquelles elles ont fait leur nid et où le temps a gravé des signes, des vestiges, des portes parfois ouvertes où sont entrés des oiseaux pour y mourir, ou alors verrouillées, munies de heurtoirs rouillés, gravés à l'effigie de dragons, de chimères, de lions.

Il y a des maisons qui ressemblent à des pendules à coucou, à des cabanes en pain de sucre.

J'en ai vu de pareilles en Savoie, en Suisse, abandonnées également, d'autres sinistrées, pillées, d'allure baroque, surmontées de campanules, de lanternoirs, de pignons, à volets clos, nichées dans la montagne au tournant d'une vire d'où s'échappait un bouquetin, un chamois, ou entourées de cyprès, de hêtres ou d'épicéas. Là haut, nulle voix, nul cri humain, que le roc qui craque, que le souffle du vent et la lumière qui passe sur les éboulis et la plaie des moraines. C'est là, au royaume des choucas et des neiges éternelles que je me mets à rêver à la maison que je posséderai un jour et à l'amour qui durera jusqu'à la mort, pareil au temps qui, sur les hautes cimes, prend la couleur de l'éternité.

Bien qu'un an et demi ait passé depuis le départ d'Endre, je n'arrive pas à reprendre ma vie, sans lui. Je m'étonne d'avoir conservé son regard, de chercher en forêt les arbres, les plantes qu'il connaissait si bien, d'écouter comme s'il était encore là, les sons, les bruits, le léger grattement du grimpereau sur l'écorce des arbres, le petit cri gloussé du troglodyte qui se déplace au sol, de m'asseoir encore au bord d'un torrent ou sur les marches d'un vieil escalier déjeté pour dessiner ce qui reste de l'ombre, de ces beaux jours perdus qui ne reviendront plus et, suivant les indications de ma mémoire, il m'arrive de remettre un meuble en place, un mur où court un rosier grimpant, une fenêtre, un objet que j'ai moi-même oublié dans mon départ précipité lorsque j'ai vendu.

Je retourne sans cesse dans la Vallée de la Rouge où il y a toujours un coin perdu, hors du temps, à découvrir, comme cette gare abandonnée au bout d'un chemin sans issue, où je me promenais dimanche dernier. L'ortie y pousse en abondance ainsi que les plus délicates fleurs des champs. Un vieux wagon rouillé est l'unique survivant de cette ancienne station de chemin de fer. L'eau de pluie s'y est accumulée et les papillons volent tout autour. Je suis restée quelque temps à les observer. Ils affluaient par myriades autour du wagon, se posaient sur les rails et sur les dormants calcinés par le soleil, tournaient en spirale autour de moi, effleurant mes mains, mes genoux, mes cheveux. J'avais reconnu le Monarque, l'épervière orangée, des petits coliades qui folâtraient parmi les orties, et quelques papillons d'Amérique dont j'avais appris les noms, enfant, lorsque je collectionnais des chenilles dans des boîtes en carton couvertes de mousseline. Je me souvenais d'avoir été témoin d'éblouissantes métamorphoses. Mes parents m'avaient aidée à rédiger une petite nomenclature des diverses espèces de papillons. Ce jour-là, j'avais retrouvé mon regard d'enfant, mes yeux de poésie, et il me semblait que cette valse de papillons aux mille couleurs résumait toute mon enfance heureuse.

Au moment où j'allais m'asseoir sur un vieux banc qui semblait attendre vainement le convoi du train et que seuls les papillons visitaient, j'aperçus un chef-d'œuvre de couleurs, unique en son genre, un superbe insecte noir, mais avec quantité d'écailles colorées, iridescentes, aux ailes frangées de paillettes orange et qui trônait sur un épi de fleurs bleues comme un roi au milieu de ce paradis d'argus, de vulcains, de morios, de sphinx, de papillons si nombreux que, dans ce décor surréel, tout me paraissait possible, que la plus rare espèce même se fût égarée au cœur de ce lieu où la nature avait repris tous ses droits.

Fascinée, je m'efforçai de ne pas bouger pour mieux l'observer et au prix d'un effort minutieux, car je suis terriblement myope. Je m'en voulais d'avoir oublié mes lunettes dans la voiture. Je ne voyais pas le quart de ce spécimen magnifique, orné de motifs fabuleux qui réfractaient la lumière comme un vitrail au fond d'une crypte. Il aurait fallu une loupe pour examiner dans le détail le tracé délicat des nervures, la brillante coloration, la fine dentelure des ailes postérieures et les taches de bleu, de vert à travers lesquelles passait la lumière, créant des illusions d'optique saisissantes.

Le papillon, sans doute conscient de mon regard, déplia ses ailes et se souleva dans l'air. Il était immense! Il se mit à flotter dans l'espace tout en s'éloignant. Je m'empressai de le suivre le long des rails, jusqu'à la lisière d'un bois où il disparut, mais pour reparaître, un peu plus loin, dans une éclaircie de la forêt à travers laquelle on

pouvait voir une route, une route de sable qui s'étendait à
perte de vue sous le soleil. Mon papillon semblait las, pris
de vertige. Son vol était devenu inégal, chancelant, et le
noir de ses ailes avait viré au violet. Nous fîmes, lui et moi,
plusieurs haltes avant d'arriver à un ruisseau, en bordure
de la route, où il se posa, à plat, sur un amas de mousse
et de branches pourries, comme s'il cherchait l'ombre
dont il était issu. Il étancha longuement sa soif au bord du
ruisseau dont je m'approchai pour l'observer de plus près
et c'est à ce moment-là que je vis, à travers les feuillages,
au bas de la pente où le ruisseau descendait, un petit lac
encaissé entre de hautes montagnes. Il y avait très peu de
distance à parcourir jusqu'à ce lac vers lequel le papillon
semblait se diriger et je continuai à le suivre, non sans
beaucoup de difficulté, car les taillis, les branches me
barrèrent le passage à plusieurs reprises, ce qui ralentit
considérablement ma marche.

Le papillon en profita pour s'éloigner et disparaître.

J'allais revenir sur mes pas lorsque j'aperçus, sise sur
un promontoire dominant le lac, une maison, une très
vieille maison, à plusieurs étages, abandonnée depuis
longtemps, cela ne faisait pas de doute, et entourée de
jardins où tout poussait pêle-mêle avec bonheur. Elle paraissait glorieuse dans le soleil, pareille à quelque retraite
mystérieuse au cœur de la forêt ou à un monument érigé
à la mémoire de ceux qui l'avaient quittée, avec ses volets
clos sur le silence, comme aux confins d'un monde magi-
que où mon papillon avait peut-être fait sa demeure
permanente. Les carreaux de la cave étaient brisés. Je
m'approchai pour voir s'il n'y avait pas cherché refuge.
Peut-être était-ce un papillon de nuit qui s'était égaré dans
le jour radieux de la vallée? Pendant que je le cherchais
aux abords de la maison, les jardins s'animèrent, reten-
tirent des cris de dizaines d'oiseaux affolés par ma pré-

sence. Un raton laveur s'enfuit à mon approche. Je regardai surtout sous la galerie, une large galerie couverte et dont l'ombre invitait au repos. Un banc y avait été renversé par le vent, qui avait également fait tomber un volet et soulevé la poussière tout autour, une poussière de sable qui venait de la route où j'avais d'abord suivi le papillon, route qui s'arrêtait à la maison. Au-delà, il n'y avait que la forêt, dense, impénétrable. On avait vraiment l'impression d'être dans un autre monde au milieu de ces jardins où, là aussi, les papillons volaient en grand nombre. Des noms de papillons me revenaient en mémoire: demi-deuil, papillon-lune, apollon, paon de jour, le grand mars changeant, l'argus bleu, le Point de Hongrie, puis les noms de diverses familles empruntés à la mythologie grecque: danaïdes, satyrides... hespérides, qui étaient les nymphes du jardin des dieux dont elles étaient les gardiennes et qui produisaient des pommes d'or donnant l'immortalité.

De quelle espèce était mon papillon? Je n'en avais jamais vu de pareil et peut-être étais-je la seule à l'avoir jamais vu dans ces bois si peu fréquentés.

Le jour s'écoula sans que je revisse le papillon et il n'y eut pas un jour de la semaine qui suivit que je n'y pensai.

○

Tous les dimanches, je retourne à la gare. Je refais le trajet jusqu'à la maison. Non loin du lac, il y a un bosquet qui a vue sur le lac. Rien n'y pousse, sauf la mousse et le lichen qui courent sur un grand rocher plat où j'installe mon chevalet, mes boîtes de couleur, et où je passe de longues heures à observer le paysage. J'ai réussi à dessiner le papillon de mémoire, mais, dans ces jardins où les insectes grésillent comme du feu, les fleurs se partagent tant de couleurs que mon papillon serait difficile à surprendre. Je le cherche partout dans les jardins, dans les sous-bois, parmi les haies d'aubépines qui croissent le long d'un escalier fait de pierres irrégulières et qui descend jusqu'au lac où j'aime nager, longtemps, et parfois jusqu'à un petit îlot rocheux où nichent toutes sortes d'oiseaux marins. On dirait que la maison me regarde de loin avec ses yeux de bois brûlé et sa lourde tête d'épave flottant au soleil.

J'ai déjà fait plusieurs croquis de la maison, des jardins, d'un vieux fauteuil qui y pourrit et où s'enlacent plantes, feuillages, herbes à poux. Aucun ne correspond à ma vision des lieux, à l'atmosphère irréelle que je veux saisir. Malgré moi, je fixe sur la toile une image d'épouvante. La cheminée, noire de suie, hors d'usage, dont on a colmaté les fuites avec des feuilles de métal, s'élance du toit pavillonnaire où un geai bleu a coutume d'aller se percher pour y jeter son cri rauque et exaspéré.

Comment rendre ce cri, la désolation, et en même temps la magnificence des lieux, puis la forme du geai qui s'élance, le bleu éclatant de son plumage, mais surtout l'écho de son cri qui se répercute sur le lac, au-delà de la montagne, et qui renvoie au silence de la maison, à son mutisme plutôt?

Lasse de travailler avec un si vain acharnement, je finis par ranger mes boîtes de couleurs, mes crayons, mes pinceaux. Je descends vers le lac. Je plonge dans l'eau. Je nage jusqu'à l'îlot où nichent des hérons. Ils déplient leurs larges ailes à mon approche et s'en vont planer au-dessus des joncs et des lys d'eau avant de remonter vers la cime de la montagne. Parfois, il y en a un qui survole le lac jusqu'au soir, alors que le silence à cette heure et dans ces jardins tombés dans l'oubli effraie. Tout y paraît dépaysé, exilé de la vie antérieure et la mort autant que la vie semble s'y perpétuer à l'infini. Je fais brièvement le tour des jardins, de la maison. Je me demande pourquoi la porte est fermée à clé puisqu'elle est abandonnée. Finalement, je m'en vais, je retourne par le chemin qui traverse la gare, solitaire au fond de la vallée que baigne le clair de lune. Les yeux des fleurs sont fermés pour la nuit et le wagon est sans bruit d'insectes, sans bal de papillons. Je m'assois sur le vieux banc de bois et avec l'impression d'être véritablement seule au monde dans ce paysage lunaire où pas une feuille, pas un arbre ne se plaint alors que moi, je souffre encore, vaguement.

Je pense au père d'Endre. C'est peut-être à une petite gare semblable qu'il est descendu à son retour de Sibérie, au bout de cinq ans d'absence, cinq ans après la naissance de son fils. J'essaie d'imaginer Endre et sa grand-mère sur le quai de la gare, attendant en cachette le convoi des prisonniers, puis le père s'approchant de l'enfant, le prenant dans ses bras, l'enfant qui pleure, l'enfant qui refuse de croire que cet étranger est son père. Il en a déjà un, celui que sa mère a épousé et qui l'a adopté. L'enfant n'arrête pas de pleurer. L'enfant crie: «Tu es mort, je le sais, tu es mort à la bataille de Stalingrad, tu es mort depuis longtemps.» La grand-mère hoche la tête: «Pas vraiment, petit. Nous ne savions pas.» L'enfant ne comprend pas. Il ne saisit que des mots, ici et là. «En réalité, disparu... À Voronej...» Tout bas, elle dit: «Surtout, ne dit rien à ta mère, elle ne me le pardonnerait jamais.»

Et ils se sont éloignés le long de la voie ferrée, sous le regard du père qui était sans gîte pour la nuit, ils se sont éloignés sous la lune qui éclairait le visage baigné de larmes de l'enfant et les coquelicots de Hongrie.

Je reste longtemps assise dans la nuit à penser à cette histoire, à ces fleurs fugitives que l'enfant a foulées de ses pas en s'éloignant, à l'amour qui aurait pu être et qui n'a jamais été.

4

Je travaille depuis un an dans un bureau où je fais de la traduction. Dès la fermeture du bureau, je me hâte de rentrer chez moi. Je m'assois après le repas dans un fauteuil et je regarde, par la baie vitrée du salon, les jardins, la rue en face et les maisons qui, lentement, s'assoupissent dans le crépuscule.

Parfois, je reste immobile dans le noir à penser à ma vie, avec l'impression qu'elle est achevée, à Endre, que je ne reverrai plus et à cette maison qui ne m'appartient plus. Mais je me dis que j'ai bien fait de la vendre. Je ne suis plus tellement sûre de ce monde. Trop de catastrophes écologiques nous menacent. L'air que nous respirons est rempli de particules nocives. L'eau de pluie est devenue corrosive. Elle empoisonne les puits, gruge les pierres des maisons, tue les plantes, les arbres. Quel recours a-t-on contre la destruction de sa propriété par les éléments? Peut-on poursuivre devant les tribunaux un nuage, le vent, la fumée, la pluie?

C'est pourquoi je me sens bien dans le bosquet où l'air est véritablement pur. La vigueur des mousses et des lichens en témoignent. Aux abords de la maison, les végétations sont saines et les fruits bons à cueillir.

Je suis devenue sauvage. Au bureau, je ne parle à personne ou si peu. Ce serait augmenter le chagrin que de me confier.

5

Hier, tard dans la matinée, j'étais en train de dessiner dans le bosquet lorsque j'entendis une branche craquer. Je n'y fis pas trop attention, croyant qu'un animal venait de s'enfuir. Quelques instants plus tard, une branche craqua à nouveau, plus près de moi, cette fois. J'eus le sentiment que quelqu'un rôdait dans les bois, se dirigeait vers le bosquet. L'impression d'une présence persista et je fus saisie d'un malaise comme si l'on m'observait à mon insu. Je me retournai. J'aperçus un homme qui se tenait debout à l'orée du bosquet. Il était grand et sa joue était balafrée. C'est surtout ce qu'on remarquait au premier coup d'œil, cette balafre, de même que le tatouage sur son bras, un dragon, pareil à ces dragons de couleurs vives que l'on voit sur certains objets venant de Chine ou de Thaïlande.

Je fus tentée de fuir, effrayée surtout par la balafre mais le rocher du bosquet, qui surplombe le lac, forme une haute falaise qui tombe à pic dans l'eau tandis que le côté opposé du rocher n'est qu'un escarpement fait de taillis à travers lesquels il est impossible de se frayer un chemin sans risque, d'y glisser, d'être déchiqueté par les pierres et les buissons. L'homme me barrait la seule issue possible: le sentier.

Plus tôt dans la journée, j'avais entendu le bruit d'un hélicoptère survolant la région. Je me demandai aussitôt si cet homme n'était par un fugitif recherché par la police. En l'espace de quelques secondes, tout un scénario s'élabora dans mon esprit et, curieusement, ma panique au lieu d'augmenter diminua. Je me rendis compte que cela m'était égal de mourir et que l'heure avait peut-être sonné pour moi, ce jour-là. Je me vis roulant dans le ravin, tombant dans l'eau, ne décoiffant qu'un instant les roseaux avant de disparaître pour toujours et sans laisser de traces.

Devinant sans doute ma crainte, l'homme sourit.

— J'ai vu votre voiture sur la route. J'ai cru que quelqu'un était en panne.

Je ne répondis pas, préférant ne pas engager la conversation et tout en me demandant comment il avait pu découvrir ce lac, ce sentier, connu de moi seule.

L'homme jeta un coup d'œil sur le chevalet et sur les boîtes de couleurs.

— Oui, on est tranquille, ici, pour peindre... Vous venez souvent? Ça doit être assez compliqué de transporter tout cela? Ça vous fait pas mal de chemin de la route jusqu'à ici.

Il parlait le français avec un léger accent.

— Alors, c'est votre voiture qui est stationnée sur la route? Je me suis demandé si on n'avait pas besoin d'aide. La route est mauvaise, pleine de cahots. Au printemps, c'est pire, la route devient quasi impraticable. Parfois, je n'arrive même pas à me rendre jusqu'à la maison.

— Quelle maison? Celle qui est abandonnée?

— Vous la connaissez alors? Je l'ai achetée l'an dernier. Cela faisait près de quinze ans qu'elle était abandonnée, mais c'est une construction solide. Même la toiture a résisté au temps.

— Excusez-moi, je ne savais pas que quelqu'un habitait ici. Est-ce que le bosquet vous appartient aussi?

— Oui, la propriété comprend tout ce boisé et le lac. C'est vraiment très privé. Il n'y a pas de voisins. Mais, je n'y viens que très rarement. Il n'y avait pas d'eau l'an dernier. J'ai fait creuser un puits à l'automne. Il n'y a toujours par d'électricité, donc pas d'eau courante. D'habitude, je vais coucher au motel. Hier soir, j'ai essayé de dormir ici mais les loups m'ont tenu éveillé.

— Il y a des loups dans ces bois?

— Non, de l'autre côté du lac. Toute la nuit, on les entend hurler.

Tout en parlant, il observait la toile sur le chevalet.

— Tiens... C'est ma maison!

Je me confondis une fois de plus en excuses.

— Je ne savais pas qu'elle était habitée... Et je ne m'attendais vraiment pas à rencontrer quelqu'un ici.

Il s'approcha de la toile, la regarda attentivement.

— Vous avez raison, on dirait la maison Usher.

— C'est parce que c'est en noir et blanc. Si je mettais de la couleur, elle serait peut-être moins sinistre.

— Oui, vous devriez mettre de la couleur.

Sur la toile, la maison paraissait creuser la lumière de ses ombres, comme une ossature dans l'été tumultueux. Je la voyais déjà se parant de couleurs vives, se métamorphosant dans l'éblouissant paysage de verdure et de fleurs et, tandis que nous étions sur la crête abrupte du rocher, en train de contempler la toile, ma crainte se raviva à l'idée que l'on pouvait tomber dans le vide à cet endroit.

— Je terminerai le tableau à la maison, dis-je.

— Pourquoi pas maintenant? Je serais curieux de voir ce que ça donne en couleurs.

— Ça dépend...

— Je reviendrai un peu plus tard.

Là-dessus, il me quitta, assez brusquement, et je me retrouvai à nouveau seule dans le bosquet.

Je mis un certain temps avant de pouvoir me remettre au travail. J'hésitai devant mon sujet. Il me semblait que la toile se dérobait, que je ne voyais plus la maison du même regard.

Je décidai donc de procéder par petites touches et, peu à peu, la couleur s'empara de la terre, des végétations, du tronc convulsif des arbres, mais c'était le spectacle de la mort qui s'élargissait et non celui de la vie. Si la nature explosait dans la lumière incendiaire de l'été, la maison, elle, demeurait à l'écart de toute joie et l'ombre affluait sur la toile, comme au premier coup d'œil, lorsque j'avais vu le geai s'envoler du toit tel un dernier restant de vie s'en échappant ou telle l'âme de la maison qui allait se confondre avec la ronde des papillons dans les jardins.

Cette nature, dramatisée à outrance, exprimait toujours l'effroi comme un de ces nombreux décors qui reviennent d'exil dans les rêves, les cauchemars.

Je recommençai aussitôt un autre dessin en utilisant des couleurs plus claires, cette fois, et en m'efforçant de centrer mon attention sur certains détails plus décoratifs, les frises, les gables de la maison, par exemple, et les fleurs sauvages au pied de la galerie.

Bientôt, je ne vis plus rien que des images qui n'apportaient aucun témoignage probant de ma sensibilité réelle. Peu à peu, le découragement s'empara de moi. Je me laissai choir par terre sur le rocher et je fondis en larmes en songeant que Endre n'était pas là.

J'ignore quelle heure il était exactement ou combien de temps s'écoula dans cet état de profonde tristesse. Lorsque l'homme revint, j'étais toujours assise sur le sol, avec ma tête penchée sur mes genoux. Je ne l'avais pas entendu venir. La mousse avait amorti le bruit de son pas. Il était debout devant moi et il me regardait d'un air perplexe.

— Qu'y a-t-il?

Je détournai la tête.

— J'espère que ma remarque de tout à l'heure ne vous a pas paru trop désobligeante?

Je tentai de refouler mes larmes.

— C'est la peinture qui vous met dans tous ces états?

— Vous ne comprendriez pas.

— Vous croyez donc que je ne connais rien à la sensibilité des artistes?

Il tenta de tourner la chose en plaisanterie.

— Pourvu que vous ne fassiez pas comme Van Gogh!

— Non, ce n'est pas cela... Ce serait trop long à vous expliquer.

— Bon, je n'insiste pas, quoique je serais curieux de savoir ce qui s'est passé.

Il s'approcha de la toile, s'extasia d'une manière que je trouvais un peu exagérée.

— La couleur est vraiment très expressive, le jaune, par exemple, et le rouge, là, à droite... Oui, l'effet est remarquable et l'harmonie entre la couleur et le sujet est parfaite.

— Vous ne trouvez pas que ça manque de force? demandai-je en trouvant mon œuvre soudain détestable.

— Au contraire.

Il passa ensuite au pastel.

— C'est charmant, délicat...

— De quelle nationalité êtes-vous? demandai-je sans lui laisser le temps de terminer sa phrase.

— Vous parlez très bien le français, mais avec un léger accent.

— Mon père était américain, et ma mère, française.

— Ah, il me semblait que vous étiez américain! Alors, vous êtes venu habiter ici?

— Pas dans cette maison. Elle n'est pas habitable l'hiver. C'est une ancienne villa d'été. Mais... Pourquoi me regardez-vous ainsi?

— La lumière m'aveugle, je ne vous vois pas très bien, d'autant plus que je suis myope.

— Comment faites-vous pour peindre, alors?

— D'habitude, je porte des lunettes. Je les ai oubliées dans la voiture, mais l'important, en peinture, c'est l'impression qu'on a de quelque chose.

Tout en parlant, je ne pouvais m'empêcher de regarder la cicatrice sur sa joue.

— En général, les gens font semblant de ne pas s'en apercevoir, dit-il d'une voix où perçait une légère irritation.

— Ça ne vous défigure pas vraiment... Non, je me disais que l'entaille a dû être profonde. Comment est-ce arrivé?

— Au Viêt-nam, dans la région de Tay-Ninh, à proximité de la frontière cambodgienne.

— Vous êtes allé au Viêt-nam!

— N'ayez pas l'air si choquée... Vous auriez préféré que je sois un objecteur de conscience? Je suis un militaire de carrière. Je faisais partie du premier débarquement des Marines à Danang.

— À vrai dire, je n'ai pas suivi de très près cette guerre. On parlait beaucoup de bombes au napalm dans les journaux, des atrocités commises par les Américains. Puis, il y a eu My-Lai...

— Oui, il y eut beaucoup de morts.

J'hésitai avant de lui poser la question qui me brûlait les lèvres.

— Avez-vous tué beaucoup de gens au Viêt-nam?

Visiblement pris au dépourvu, il ne sut que répondre.

— Excusez-moi, c'est certainement une question que l'on pose souvent aux soldats qui ont fait la guerre. Je ne dois pas être la première à vous la poser.

On entendait la crécelle infatigable des cigales dans les jardins. Un pic bois creusait l'écorce d'un arbre tout près de nous. Je me mis à l'écouter tout en observant une guêpe qui venait de se poser sur le bord de la toile. Les guêpes sont belliqueuses et vous attaquent souvent sans raison. Celle-là s'attardait. Ses pattes étaient fixées comme des harpons sur la toile. Les mandibules semblaient réfléchir, méditer un plan d'attaque. La livrée noire striée de jaune ondulait. Ce ne fut pas long avant qu'elle ne vienne m'importuner et elle se mit à bourdonner furieusement autour de moi. Je tentai de la chasser mais mon geste parut l'importuner davantage et son vol devint de plus en plus pressé, bruyant au-dessus de ma tête. Je me mis à courir dans le sentier en direction de la route. Deux, trois autres guêpes se joignirent à la première et me pourchassèrent tout le long du sentier où d'autres insectes goûtaient à l'humidité du sol, affolant d'autant plus les guêpes, me semblait-il, que le soleil y était ardent et la chaleur suffocante. J'allai me réfugier dans la voiture lorsque l'Américain me fit signe, du haut d'un talus où il observait la scène.

— Par ici, cria-t-il.

Je me précipitai dans cette direction en protégeant ma tête avec mes mains, car les guêpes me poursuivaient toujours. Je craignais que l'une d'elles ne me pique au crâne.

— Saviez-vous..., dis-je, en escaladant le talus que lorsqu'une guêpe vous pique à un endroit précis du crâne, le venin entre directement dans le cerveau et peut provoquer la mort.

— Mettez-vous du parfum?

— Non.

— Vos cheveux sont couleur de miel. C'est peut-être cela.

Je grimpai vite les marches de l'escalier et je fus aussitôt à l'abri dans l'ombre de la galerie.

Pendant qu'il vaporisait avec du chasse-moustiques à l'intérieur de la galerie, je repris mon souffle.

— Je n'ose plus retourner dans le bosquet maintenant.

— Dans une heure ou deux, l'ombre gagnera le bosquet. Les guêpes s'en iront.

— Je ne peux tout de même pas attendre sur la galerie jusqu'à ce qu'elles s'en aillent.

Une odeur de désinfectant s'était répandue dans l'air. Il était debout devant la porte entrouverte et continuait à vaporiser. J'allais m'asseoir sur le banc lorsqu'il ouvrit la porte.

— Voulez-vous entrer dans la maison?

— Je ne sais pas si je devrais.

— Pourquoi pas?

— Je ne vous connais pas.

— Il n'y a pas plus à craindre ici que dans le bosquet.

Et il m'invita à le suivre à l'intérieur.

— C'est sombre... attention.

J'entrai dans la maison.

Mes yeux mirent un certain temps à s'habituer à l'obscurité. À part quelques vieux meubles, c'était assez nu. Des vêtements traînaient sur un fauteuil dont le tissu était décoloré et qui faisait face à une cheminée recouverte d'une épaisse couche de suie.

— Le salon est petit. Il faudrait faire tomber un mur.

Les boiseries, les vieilles poutres attestaient la rusticité des lieux. La cheminée avait conservé sa hotte d'origine. Un espace pratiqué dans la pierre était réservé au rangement du bois. Quelques bûches fraîchement coupées y avaient été rangées.

— Pouvez-vous faire du feu dans cette cheminée?

— Pas encore. Les joints sont à refaire. Elle a été ramonée, mais il y a des fuites, des lézardes un peu partout.

Le parquet de bois, coupé d'une marche, corrigeait une dénivellation entre le salon et la salle à manger, vers laquelle il me dirigea. Celle-ci était aménagée dans une pièce entièrement vitrée d'où l'on apercevait le sommet d'une petite chaîne de montagnes baignées de soleil. Le jour entrait à profusion à travers les vitres. Au milieu, une table faite d'un énorme pan de bois taillé dans un seul arbre. Le bois avait blanchi de même que les chaises, également faites de rondins et dispersées aux quatre coins de la pièce. Un gros buffet à deux corps était adossé au mur. Des revues, des livres y étaient empilés. Au plafond, un lustre d'inspiration tyrolienne. Au-dessus de la porte, des bois de cerf.

On se serait cru dans un ancien pavillon de chasse. Je lui en fis la remarque tandis que je faisais le tour de la table tout en admirant le paysage dehors.

— Il s'agit d'une succession. La vente s'est faite rapidement.

— J'ai toujours aimé les vieilles maisons, je ne sais pourquoi, dis-je, en éprouvant une tristesse soudaine, inexplicable.

La salle à manger était reliée à la cuisine par un étroit couloir. Nous nous y engouffrâmes, un peu en tâtonnant le long des murs, car on ne voyait rien du tout. Tout en cherchant le sol de mon pied, je faillis tomber. Il glissa alors sa main dans la mienne en disant: «Attention!...» Dans ce couloir dont l'obscurité estompait les contours, la présence physique de cet homme à mes côtés me jeta soudain dans le désarroi. Incapable de retirer ma main de la sienne, je me laissais mollement conduire, les yeux presque fermés.

Le désir brusque, soudain, est comme une plante qui multiplie ses dards. La certitude d'une déception certaine nous fortifie contre ses assauts, mais là j'étais sans défense. Il me semblait que je sombrais dans le plus vertigineux des abîmes et je me demandais si l'amour trop longtemps retenu prisonnier ne s'y confondait pas. J'éprouvais cette sensation de doux abandon que nous inspire la faiblesse des sens, faiblesse qui ressemble à l'innocence des bêtes, faciles à apprivoiser. Nous passâmes devant ce qui me parut être un escalier dérobé et je crois qu'à ce moment, il murmura quelque chose que je ne compris pas. L'impulsion du désir était si forte qu'à la faveur de l'obscurité, je m'y abandonnai, un instant du moins, avant de me ressaisir.

Nos mains se dénouèrent. Comment? Je l'ignore. De moi-même, j'en aurais été incapable. Nous étions dans la cuisine. La lumière pénétrait à peine à travers la poussière des carreaux.

— Il va falloir tout enlever.

Il y avait des coulées de graisse sur les armoires. Les carreaux du linoléum étaient déchirés à plusieurs endroits. Une cuisinière qui datait des années cinquante et un évier taché de rouille n'étaient tout bons qu'à jeter.

Je ne tenais plus sur mes jambes. Je me laissai tomber sur une chaise.

— J'ai dû prendre trop de soleil, dis-je d'une voix altérée.

Pendant que je tentai de retrouver mes esprits, je songeai que j'avais mis un sot orgueil à croire que plus jamais je ne céderais à aucun homme. Pour la première fois, depuis longtemps, je me sentais vivante, mais de sa vie à lui, comme si je n'avais pas d'autre attache en ce monde que celle d'une racine au flanc d'un précipice.

Le silence, qui suivit, pesa. Je ne fis aucun effort pour le rompre, ne sachant que dire au juste. Finalement, je murmurai tout bas:

— À première vue, vous n'êtes guère rassurant.

— Vous avez peur de moi? murmura-t-il à son tour.

— Plus maintenant.

Je m'étais levée, car une intimité rapide était en train de s'établir entre nous. Je retournai au salon.

Un rai de lumière entrait par la porte restée ouverte, se réfléchissait sur un pan de mur, accentuant les ombres au plafond.

— Je dois partir, dis-je.

— J'allais vous offrir un scotch.

— Merci, mais je ne bois pas.

— Jamais?

— Je n'aime pas la sensation que procure l'alcool.

— Vous n'aimez pas perdre la tête, alors?

— Pas de cette façon.

Une odeur à la fois irritante et douce flottait dans la pièce, celle des boiseries de cèdre qui captaient la fraîcheur de l'ombre à l'intérieur. Les fenêtres qui donnaient sur le jardin étaient ouvertes. Sous ces plafonds bas, entre ces murs étroits, l'ombre paraissait complice du désir, du silence.

— On se sent vraiment loin de tout, ici, dis-je en regardant le jour dehors. Il était venu me rejoindre sur le seuil de la porte.

— Est-ce que vous vivez de votre peinture?

— Non, je travaille dans un bureau à Montréal pour une compagnie d'import-export. Je fais de la traduction. La peinture, pour moi, n'est qu'un passe-temps.

Il me demanda de parler en anglais et nous échangeâmes quelques mots dans cette langue. Il me dit qu'il était né à Houston au Texas et qu'il avait acheté cette maison peu après son divorce alors qu'il était venu chasser dans ce pays avec des copains.

— Nous avons fait la guerre du Viêt-nam ensemble...
C'était tard l'automne, en fin de journée. Nous avons suivi
une piste de chevreuil. Nous sommes arrivés à ce lac. J'ai
aperçu la maison. Elle était à vendre.

— Vous ne vous ennuyez pas tout seul dans cette
maison?

— Au contraire. C'est paisible... J'y travaille. Je bri-
cole. Je vais pêcher sur le lac. Le soir, je retourne au motel.

J'allais sortir sur la galerie.

— Venez voir là-haut.

— Il faut vraiment que je songe à retourner à Montréal.

— Vous avez quand même quelques minutes.

— Qu'est-ce qu'il y a là-haut?

— Un grenier.

— Oh... La mienne n'en avait pas. J'ai toujours voulu
posséder une maison avec un grenier.

— Vous aviez une maison?

— Oui, à une heure d'ici. Elle est vendue depuis deux
ans. J'avais un ami. On s'est séparé. Je ne pouvais plus
rester seule dans la maison.

— Vous auriez dû laisser passer un peu de temps.

— J'ai vendu peut-être trop vite, mais il le fallait...

Voyant que j'étais réticente à monter, il passa outre et
me suivit dehors où la touffeur de l'été montait à la gorge.
Des libellules s'égaraient dans l'ombre de la galerie puis
repartaient, se dispersaient aux quatre coins des jardins
suspendus au-dessus du lac. La stridulation des cigales était
devenue assourdissante. Il était tout près de moi tandis que
j'examinais les rocailles de chaque côté de l'escalier où les
plantes naines s'étaient multipliées, laissant là moins de
place aux mauvaises herbes qu'ailleurs. Des sauterelles
ricochaient dans l'herbe, jaillissaient des végétaux.

Un colibri vint boire à une fleur. Je me penchai sur la
rampe de la galerie pour mieux l'observer. Il était rare de

voir un oiseau-mouche. Leur espèce n'est peut-être pas aussi nombreuse que celle des autres oiseaux de nos forêts. Je n'en avais vu que quelques-uns au cours de ma vie et jamais ensemble. Ils butinent toujours seuls. Celui-ci était suspendu à une grappe de phlox et ses ailes battaient si vite qu'on les voyait à peine.

— Il vient souvent à cette heure.

Il était venu se pencher à la rampe, à mes côtés, et son bras touchait le mien. Au moment où il avait parlé, le colibri s'était envolé et nous demeurâmes ainsi, penchés à la rampe, à regarder les jardins torturés par les ronces et les plantes qui semblaient soumettre l'espace à leur passion avide. Sitôt le colibri disparu, les phlox furent assiégés par les abeilles, d'énormes abeilles qui pénétraient dans les somptueux sanctuaires de pollen, soulevant l'or pur du soleil de leur vertige. Une fois le nectar puisé, elles repartaient dans un frémissement d'ailes bourdonnantes, d'un vol discontinu, en faisant des boucles dans l'air, cherchant les godets, les anthères, le logis parfumé des fleurs où, captives d'une essence, d'un suc généreux, elles semblaient se délecter de la précieuse nourriture.

— Vous êtes pâle tout à coup? Qu'y a-t-il?

Je prétextai une fois de plus le soleil, mais je me rendis soudain compte que je n'avais rien mangé de la journée.

— Asseyez-vous.

— Il m'indiqua le banc près de la porte. J'allai m'y asseoir.

— Voulez-vous de l'eau?

— Non... Je vais déjà mieux. C'était un étourdissement, rien de plus.

Tandis que son regard scrutait l'horizon, j'observai à la dérobée la cicatrice sur sa joue et sans doute sentit-il mon regard peser sur lui, car il remarqua.

— Je n'y pense plus.

— Comment est-ce arrivé?

— Un coup de couteau.

— Un couteau? On ne peut pas dire que ce soit une arme conventionnelle.

— La guerre du Viêt-nam n'a pas été une guerre conventionnelle.

— Alors, racontez.

— Les paysans vietnamiens creusaient des trous à l'intérieur de leur maison pour se protéger des bombes. Les Viêt-congs s'y cachaient lorsque nous inspections les villages. C'est en découvrant un de ces trous dans une paillote que j'ai été attaqué par un Viêt-cong. J'allais y dégoupiller une grenade lorsque j'ai vu qu'il s'agissait d'une cache d'armes. Parfois ces trous étaient des entrées de tunnels qui s'étendaient sur plusieurs kilomètres reliant les villages entre eux ou débouchant sur la jungle où le Viêt-cong pouvait disparaître, apparaître à volonté, soit pour fuir, soit pour tendre des embuscades. L'homme m'a vu de sa cachette, il a bondi hors du trou et il m'a lacéré le visage avec son couteau.

— Pourquoi n'a-t-il pas pris la fuite dans le tunnel?

— Sans doute pour éviter que je ne mette le feu à la paillote.

— Et vous l'avez tué?

— Qu'auriez-vous fait à ma place?

— Avez-vous souvent failli mourir?

— Une fois j'ai failli mettre le pied sur une chausse-trappe. La jungle était pleine de maquisards. Ils semaient des pièges partout. Les plus redoutables étaient les armes rudimentaires, de fabrication artisanale comme les pics empoisonnés, les fosses hérissées de pieux de bambou telles que celles qui étaient utilisées pour la chasse aux fauves. On se servait même de scorpions que l'on enfermait dans des petites cages reliées à des troncs d'arbres par un fil. Si on mettait le pied sur un fil, la cage s'ouvrait. Ils se servaient également de guêpes, d'abeilles. Celles-ci attaquaient par centaines, provoquaient la panique parmi les soldats qui quittaient les rangs, se mettaient à courir dans toutes les directions et ils tombaient alors dans les fosses où ils étaient empalés. D'autres y laissaient un pied, une jambe. Ce dernier piège était assez ingénieux, car les guêpes agissaient comme lignes défensives. Devant l'assaut furieux de celles-ci, nous étions obligés de battre en retraite.

— C'est horrible ce que vous racontez là!

J'étais devenue soudain appréhensive à l'idée de retourner dans le bosquet.

— C'est qu'on n'a pas idée de ce que fut le combat dans la jungle du Sud-Est asiatique... Ils attachaient aussi des vipères à des petits morceaux de bambou. Le cri du malheureux qui était mordu avertissait les Viêt-congs de notre présence et, si le piège était repéré, la détonation du coup de feu qui tuait la vipère donnait à l'ennemi le temps de fuir ou de nous attirer dans un pire traquenard.

Il s'interrompait parfois de parler pour chercher un mot puis il poursuivait d'une voix lente comme si ces souvenirs, qu'il évoquait, avaient été trop longtemps prisonniers du silence et de la forêt. Sans doute m'étais-je trouvée là, à un moment où il avait désespérément besoin d'un interlocuteur, de parler de tout ce qui n'avait pu se dissoudre dans sa volonté d'oublier.

À certains moments, on aurait cru qu'il ne se rendait pas compte de ma présence ou qu'il oubliait tout simplement que j'étais là. Il parlait tout bas, interrogeant tantôt la montagne en face, tantôt quelques nuages, au loin, ou fixait la rampe de la galerie où il était appuyé d'un regard presque amusé comme s'il prenait un plaisir singulier à cette conversation, tandis que l'heure passait et que le jour lentement diminuait à l'horizon.

— Oui, le terrorisme est une provocation recherchée pour harceler, pousser à bout l'adversaire. Si l'adversaire a des moyens de représailles puissants à sa disposition, il n'hésite pas à les utiliser et le cycle de la violence alors s'agrandit, de même que la haine augmente entre les adversaires. Nous avons détruit le pays, pulvérisé des forêts entières, largué des milliers de tonnes de bombes... Nous n'avons pas perdu une seule bataille. À Khé-San, 500 marins sont morts, mais 10 000 Vietnamiens ont perdu la vie. À Hué, le Nord en a perdu 5 000, peut-être plus, alors que nous n'avons perdu que 150 hommes... L'offensive du Têt a été désastreuse pour l'armée nord-vietnamienne, mais celle-ci renaissait sans cesse de ses cendres... Jamais nous n'avons eu affaire à un ennemi aussi redoutable... On pouvait mourir aussi bien à la terrasse d'un café que dans la jungle, être abattu par un tireur ennemi isolé ou en se promenant dans un village, en apparence, inoffensif. Le terrorisme était partout et nulle part, constant et systématique, échappant aux règles de la guerre classique. Il était sans installations fixes. Il se dissimulait dans la jungle ou parmi la population civile... Les guerres de guérilla ne sont pas des guerres franches. Elles ne relèvent pas du combat proprement dit. Les moyens employés ne sont pas explicites dans le Code moral de la guerre. Elles sont, de plus, impossibles sans l'appui populaire. La supériorité numérique est un facteur déterminant dans les luttes pour la libération nationale. C'est pourquoi un des objectifs principaux est de mobiliser l'opinion en sa faveur, de créer un fait politique.

Brusquement, il se retourna vers moi, impatient tout à coup.

— Sans doute croyez-vous que les Américains n'auraient pas dû intervenir dans ce qui pourrait paraître n'être qu'une querelle interne, mais on oublie que l'agression est venue du Nord, c'est pourquoi Diem a demandé l'aide américaine. Pour bien des Américains, il s'est agi au début d'une croisade contre le communisme. C'est tout le Sud-Est asiatique qui se trouvait menacé... Mais le gouvernement de Diem était un gouvernement despotique, corrompu... C'est durant son régime que la résistance armée s'est organisée. Le Viêt-cong semait la terreur dans les villages du Viêt-nam du Sud où il levait des taxes et avait imposé la conscription obligatoire. Des représailles étaient exercées contre les villages qui s'y opposaient. On assassinait les chefs, on exécutait les rebelles. Quand le Viêt-cong manquait d'hommes, il se servait des femmes, des enfants. Ceux qui étaient recrutés agissaient comme informateurs, participaient à des opérations de sabotage, se chargeaient de faire régner la terreur à leur tour.

Son regard ne trahissait aucun émoi lorsqu'il parlait.

— Seulement..., ajouta-t-il, en haussant les épaules et en baissant le ton. À mesure que les combats s'intensifiaient, l'hostilité à notre endroit grandissait... Tant et tant d'innocents ont connu la mort sous ses formes les plus brutales. Ce qui a pu paraître scandaleux aux yeux du monde, c'est que nous étions une grande nation qui envahissait un petit pays. Peu à peu, les raisons pour lesquelles nous sommes intervenus n'ont plus paru valables. Le nombre des morts augmentait.

Là-dessus, il se tut, fixant toujours la montagne d'un regard grave et préoccupé. Le soleil était à son déclin et ne pénétrait que par échappées dans les jardins. Sur les fleurs et la verdure couraient les dernières poussières dorées du jour.

Je lui fis remarquer qu'il était tard et il me répondit que le temps, en effet, passait vite à parler.

— D'habitude, je n'aime pas parler du Viêt-nam.

Il demeura pensif sur la galerie et sa main, toujours appuyée contre la rampe, toucha légèrement la mienne sans qu'il s'en aperçoive, supposai-je, car il semblait perdu dans ses pensées.

— Vous ne croyez pas...

Puis j'hésitai.

— Que... La guerre du Viêt-nam a été une guerre inutile?

— Pourquoi? Parce que nous avons perdu?

— Non, je veux dire que le communisme ne représente plus tellement une menace mondiale aujourd'hui, qu'il finira peut-être par mourir de sa belle mort au Viêt-nam. Est-ce que les Vietnamiens n'ont pas un grand besoin de l'aide économique américaine?

— Est-ce que vous suivez ces événements?

— Je lis les journaux, mais pas plus que cela.

J'éprouvai alors un de ces désirs douloureux que la joie n'a pas encore brisé, inattendu au milieu de cette conversation. Sans doute eut-il l'intuition de mon trouble, car il me fixa d'un regard légèrement moqueur comme s'il souhaitait ajouter à ma confusion.

— Votre nom?

Lorsqu'il souriait ainsi, on oubliait presque la cicatrice sur sa joue.

— Vous ne m'avez pas dit votre nom.

— Muriel.

— C'est le même en anglais, je crois.

— Et vous?

— Mon nom est assez courant. Au Viêt-nam, j'avais plusieurs copains qui s'appelaient Johnny: j'en ai même perdu un.

— Il était jeune?

— Tous, nous étions trop jeunes pour mourir.

La conversation devenait, on le sentait soudain, pénible pour lui. Je vis qu'il valait mieux y couper court.

— Il est tard... La nuit va bientôt tomber. Je devrais vraiment partir. *Il doit faire noir dans le bosquet.*

Il insista pour m'y accompagner.

L'ombre s'était, en effet, épaissie en forêt mais l'on pouvait encore distinguer les couleurs sur la toile où la maison prenait la forme mystique du rêve et de l'imagination.

— On se demande laquelle est la vraie, la maison Usher ou celle-ci, dit-il tandis que je retirais la toile du chevalet.

Les insectes de la canicule s'étaient tus et on entendait, au loin, le cri du geai, mélancolique à cette heure, cri qui jaillissait en écho des frondaisons obscures de la forêt où nous nous engageâmes et qui se répercuta tout le long du sentier menant à la route baignée des lueurs du crépuscule.

Il m'aida à ranger le chevalet et les boîtes de couleurs dans le coffre de la voiture.

Avant de me mettre en route, je jetai un dernier coup d'œil sur la maison qui était entièrement plongée dans l'ombre. Elle paraissait torturée par une infinité de secrets. La forêt se resserrait tout autour. Quelques bouleaux recueillaient encore un peu de la lumière du jour, blancs, muets comme des statues veillant dans la nuit.

— Quand je suis revenu dans le bosquet..., dit-il, d'une voix hésitante, j'étais décidé à vous chasser, mais vous pleuriez.

— Vous auriez peut-être dû me dire de partir.

Il changea brusquement de sujet.

— Vous êtes-vous baignée dans le lac?

tables, ou soigneusement rangés sur les rayons d'une éta-
gère en encoignure que je n'avais pas remarquée auparavant. Les flammes jetaient des lueurs vives au plafond et,
une fois assise, je me mis à regarder les flammes, gênée
soudain d'être là. La conversation se mit à languir...
Comme si cette force qui nous poussait l'un vers l'autre et
allait bientôt nous réunir se situait bien au-delà du désir. Je
sentis que j'étais prête à l'aimer de façon brutale, intermit-
tente et passagère, s'il le fallait, pourvu qu'il me fût donné
de vivre, ne serait-ce qu'un instant et même sous sa forme
la plus fugitive, l'amour.

Le goût d'étreindre fut alors si fort que tout se passa
très vite: son corps nu contre le mien, mes cuisses se
creusant pour le recevoir et l'homme prenant à nouveau
corps dans ma vie. Étonnée, j'épousai la forme lisse et
renflée de son sexe comme si au milieu de cette forêt où
se blottissaient déjà les ombres du soir j'en épousai
l'immensité.

Je ne sais combien de temps se passa à faire l'amour,
à dormir dans la chambre, que la nuit avait envahie. La
pluie frappait doucement aux vitres comme mille petits
oiseaux fixés dans le désordre de la chair. Les odeurs fauves de l'été entraient par la fenêtre à demi ouverte, se
mêlaient aux parfums de la volupté qui, aussitôt, se renou-
velaient alors que, toute chaude encore de la chaleur de
son sexe, je le regardais dormir. Dehors le ciel se char-
geait de brume, de vapeurs blanches, mais la nuit dans la
chambre était sans reflets et le silence de la maison aussi
profond que lorsqu'elle m'était apparue pour la première
fois, projetant son ombre sur les jardins couronnés de
ronces et de fleurs.

Il devait être tard, la nuit, lorsque je m'éveillai, car les
loups hurlaient de l'autre côté du lac. La pluie avait cessé
et le clair de lune baignait les jardins d'une lumière pâle,

irréelle. Je me levai tout en faisant bien attention de ne pas l'éveiller et j'allai à la fenêtre. La forêt était immobile, calme dans la nuit. La lune flottait au-dessus d'un bois de hautes épinettes. Les loups jetaient de longs cris plaintifs comme s'ils imploraient le bel astre énigmatique au fond des cieux.

Tout dormait d'un même sommeil, comme il dormait dans la chambre. Un de ses bras épousait l'oreiller, l'autre laissait voir le muscle de l'avant-bras et le dragon tendu sur sa peau. Tout en écoutant la plainte des loups, je le regardai dormir. Soudain, je me rendis compte que l'humidité était en train d'envahir la chambre. J'allai fermer la fenêtre et, en revenant vers le lit, j'aperçus sur la commode un portefeuille ouvert. Il y avait une photo à l'intérieur, une photo de lui alors qu'il était tout jeune homme. Sur la photo la joue était intacte. Il était plus mince, avec des traits plus fins, des yeux presque candides. Que serait aujourd'hui, pensai-je, ce visage qu'un violent coup de couteau avait lacéré? Et qui, maintenant, ressemblait si peu à celui de la photo... L'œil n'avait pas été touché, mais il s'en était fallu de peu. À la pureté, à l'innocence des traits d'adolescent, s'était substitué un air quasi bestial que j'aimais plus que tout au monde alors que mon ventre défaillait encore du sexe qui l'avait pénétré. La balafre était parfaitement visible dans le noir, ligne blanche sur le visage hâlé, que le soleil n'avait point touchée, et qu'effleurait le clair de lune.

Je revins vers le lit, sur la pointe des pieds; j'allai m'allonger près de lui et j'attendis longtemps le sommeil avant de m'endormir. Bien que la fenêtre fût fermée, on entendait toujours la plainte lointaine des loups en forêt, ravivant comme par quelque doux effet de magie le désir lent et brûlant de la vie, de tout ce qui a goût de paradis sur cette terre où tout passe, s'enfuit, s'envole, ne revient jamais à l'état pur et sous sa forme primitive.

7

Il dormait encore lorsque je me levai à l'aube pour aller à la cuisine. Nous n'avions presque rien mangé la veille et, sitôt réveillée, ma faim s'était fait sentir.

Quelle ne fut pas ma surprise en constatant qu'il ne restait plus rien de la cuisine sauf l'évier et la cuisinière. Les armoires, le linoléum avaient été arrachés. Des rideaux voilaient les fenêtres et mes yeux mirent un certain temps avant de s'habituer à l'obscurité. Je remarquai qu'il y avait près de la porte qui donnait accès à la cour arrière un réfrigérateur neuf, mais qui ne contenait pas grand-chose à manger, qu'un peu de fromage et du pain, que je dévorai tant ma faim était grande. Je regardai autour de moi. Les murs étaient dans un bien piètre état et il y avait par terre des bouts de planche, qui servaient sans doute de bois d'allumage pour la cheminée. Je fis attention en marchant, car j'étais pieds nus et il y avait plein de clous qui traînaient par terre.

L'aube pâlissait dehors et, lentement, la lumière du matin filtrait à travers la voilure des rideaux, effleurant les murs, où l'on avait posé des prises. Il y avait un interrupteur à l'entrée de la cuisine. J'appuyai dessus et la cuisine s'éclaira. J'allai à la salle à manger pour voir si, là aussi, on avait installé l'électricité. Le couloir était faiblement éclairé et une lumière incertaine palpita en avant de mes pas tandis que je m'y engouffrais.

J'essayai de marcher le plus doucement possible, car le parquet craquait dès que j'y appuyais le pied. Je demeurai un instant sur le seuil qui séparait le couloir de la salle à manger, dans une sorte de rêverie coupée du monde, attentive aux bruits les plus infimes de l'aube, au chant encore timide des oiseaux qui étaient dissimulés dans les feuillages. Le jour naissant paraissait fiévreux sous le ciel où se prolongeait encore le doux éclat de la nuit baignée de lune.

Rien n'avait été changé dans la salle à manger sauf pour une lampe, récemment achetée sans doute, qui avait été placée sur le buffet et qui s'alluma en même temps que le plafonnier lorsque j'appuyai sur l'interrupteur. J'éteignis aussitôt et je retournai au salon. Le feu s'était éteint dans la cheminée, mais les cendres fumaient encore. Je fus tentée d'y jeter une bûche pour le raviver, car il faisait froid dans la maison, mais je me ravisai, n'osant toujours pas faire de bruit dans la crainte de le réveiller. J'étais nue sous une veste de pyjama qu'il m'avait prêtée et je frissonnais dans la maison refroidie par la nuit d'orage. Je n'avais rien apporté avec moi sauf un maillot de bain et mes cartons d'esquisses. Le reste de mes effets personnels était resté dans la voiture. Tandis que j'hésitais au bord de la fenêtre en me demandant quoi faire au juste en attendant qu'il se réveille, le jour parut dans les jardins et je demeurai pensive tout en regardant le lac et la brume qui se déchirait au-dessus de la montagne. À l'intérieur, tout dormait comme la forêt en ses replis les plus profonds et, un peu plus, le sommeil m'aurait gagnée à mon tour, car je n'avais que très peu dormi, si mon attention n'avait pas été attirée par un livre oublié sur le bord de la fenêtre devant laquelle je venais de m'asseoir pour m'assoupir, et que je me mis à lire, décidée à tromper l'attente. C'était une biographie d'Hô Chi Minh, que je feuilletai un peu au hasard d'abord, découragée à l'avance par le nombre de pages, qui en dépassaient mille, lecture qui me parut fastidieuse au début, tortueuse et pleine de rappels historiques avec de longs passages sur les purges staliniennes, le Kommintern, la question coloniale. Certaines dates se fixèrent dans mon esprit au hasard de ma lecture. Entre 1827 et 1856, près de 130 000 prêtres catholiques étaient massacrés au Viêt-nam. La première intervention américaine remontait à cette époque lorsque les Vietnamiens cherchaient à mettre à mort l'évêque français de Hué. La méfiance entre catholiques et bouddhistes ne cessait de s'accroître au Viêt-nam du Sud de même que la querelle religieuse entre les bouddhistes du Viêt-nam du Sud et les confucianistes du Viêt-nam du Nord. Une date capitale: prise du pouvoir par les communistes en octobre 1954. Des prêtres catholiques étaient fouettés par les Viêt-minhs, pendus par les pieds, enfermés dans des soues à cochons avec les porcs. C'était alors qu'Hô Chi Minh refaisait surface, car il ne cessait de fuir, d'errer au cours de ses longues années d'exil: Suisse, Italie, Berlin, Vladivostok, Hong Kong... Né au XIXe siècle dans une famille hostile à la présence française en Indochine, il optait très tôt pour la voie de la révolution plutôt que pour celle de la réforme, mais il était difficile de le suivre dans ses déplacements, d'autant plus qu'il agissait sous le couvert de diverses identités. Il avait été steward à bord du paquebot français *Latouche Tréville*, répondant alors au nom de Ba et de Ngu Ai Quoc lorsqu'il fut simple patriote. C'est sous un pseudonyme, Nguyen O Phap, qui signifie «celui qui hait les Français», qu'il avait signé des articles pour un journal communiste et lorsqu'il avait pris la direction du bureau du Kommintern pour l'Extrême-

Orient, il s'était appelé Tong Van Son. Il s'était déguisé en moine bouddhiste lorsqu'il s'était réfugié au Siam. Il avait été retoucheur de photos à Paris dans un atelier du XVIIe arrondissement. Ailleurs, on disait qu'il était passé maître dans l'art de la calligraphie chinoise et qu'à Londres il avait été pâtissier à l'hôtel Carlton pour le grand Escoffier. Il n'en menait pas large durant cette période de sa vie où, pour arrondir ses fins de mois, il devait pelleter la neige, à l'aube, avant de se rendre à son travail. Il ne possédait même pas de chapeau.

Peu à peu, je me familiarisai avec des paysages, des rivières, le vert des rizières, des palmiers, des serpents, suivant Hô Chi Minh dans un dédale de sentiers interminables comme sa vie, m'arrêtant à certaines photos qui le montraient sur le quai d'une gare qui paraissait abandonnée comme celle où j'avais vu le papillon, et tenant à la main tout ce qu'il possédait au monde: une petite malle d'osier, tantôt dans un campement de fortune aux confins les plus inhospitaliers de la jungle, en compagnie de Giap, peu avant la bataille de Diên-Biên-Phu qui devait marquer la fin du régime colonial français en Indochine. Son regard était le même d'une photo à l'autre comme si le spectacle de la misère qui, disait-on, l'affligeait tant s'y était à tout jamais gravé. On ajoutait quelque part qu'il avait déjà taquiné la muse, écrit des poèmes pour meubler ses heures solitaires ainsi qu'une pièce intitulée: *Dragon de dragon,* apparemment mauvaise et qui n'avait jamais été jouée.

De la vie privée d'Hô Chi Minh, on ne savait presque rien sinon ce qu'en disaient les hagiographes du parti. Ses photos n'en disaient guère plus long sur le personnage tant il paraissait effacé, modeste dans ses manières. Rien de violent non plus ni de fanatique dans ce regard, l'air d'une momie plutôt avec ses pommettes saillantes et ses yeux profondément enfoncés dans leurs orbites, ou d'un sage, d'un philosophe lorsqu'on le voyait assis, pensif, réfléchissant, en caressant la fine pointe de sa petite barbiche. N'avait-il pas vécu comme un ermite, dans une grotte, lors de son retour au Viêt-nam, vouant tout son temps à la réflexion? Formé à l'institut Lénine, il est peu probable qu'il se soit interrogé sur Dieu, sur le yin et le yang, ou le vide tao. Sa haine était sans trêve et son désir de vivre en anachorète parmi les arbres et les oiseaux et d'y mourir inconnu n'entrait pas dans le plan de cette vie exceptionnelle. À l'instar du maréchal chinois, Tran Hung Dao qui, en 1284, rédigeait dans la solitude des montagnes son *Traité essentiel d'art militaire,* Hô Chi Minh élaborait les principes de la «guérilla» qui signifie «petite guerre» en espagnol ou forme de combat limité, guerre non déclarée qu'il comparaît au combat entre le tigre et l'éléphant et qui devait faire 13 141 089 morts en tout. Cette supposée «petite guerre» avait coûté 165 milliards de dollars à l'Amérique, sans compter les 65 milliards consacrés à l'aide au Viêt-nam du Sud.

C'est sur ce glas qui sonnait la fin de la guerre que se terminait la biographie d'Hô Chi Minh, et au moment où un vent léger passa sur les jardins, il me sembla voir un tigre traverser le paysage, imprimer aux herbes les mouvements de sa lente reptation, voir dans les déserts de la lumière, les cratères creusés par les bombes et les terres défoliées que survolaient sans fin les oiseaux, à la recherche d'une branche où se poser. Mais ce matin-là, aucune tristesse ne pouvait s'insinuer au cœur du murmure intense de la forêt où la nature avait repris, dès la levée du jour, son élan vital, chassant tous les spectres de la mort, mort irréelle qui retournait dans la nuit d'où elle était issue tel un monstre happé par la blancheur lointaine des torrents, ne laissant plus à la surface du gouffre où elle s'enfonçait qu'une sensation très douce de caresse, caresse encore toute fraîche sur ma peau, au parfum âcre et doux, odeur de pétales tièdes sur lesquels flottait la nudité de la chair et qui renouvelait le désir comme du sang infusé dans les veines.

Soudain, la fatigue fondit sur moi, dispersa les images violentes qui m'avaient assaillie plus tôt. Hô Chi Minh s'éloigna dans la distance et mes paupières, devenues lourdes du sommeil dont j'avais été privée, se fermèrent sur quelque forme illusoire qui s'évapora dans le lointain et se confondit avec la lumière du paysage sous la fenêtre, avec les papillons, les sentes, les corolles, les jardins miniaturisés sous mes cils, qui ne filtraient plus que les images du sommeil dans lequel je sombrai avec le livre sur mes genoux.

8

Les jours passent et j'entre dans cette espèce de contrée mythique qu'est la guerre qu'on ne voit qu'en rêve ou en cauchemar. Les images de la mort meurent sous le satin blanc de mes mains lorsque nous faisons l'amour. Le lieu définitif du bonheur semble alors à ma portée. Le désir y brûle et s'y consume ainsi qu'une fièvre compacte et silencieuse. J'essaie de ne pas trop me dire que je ne vis là qu'un rapide roman d'amour. Tout prend la couleur des roses dans l'été et mon corps se livre à tous les excès comme à l'âpre morsure du soleil.

Parfois, je le regarde dormir, je suis curieuse de son sommeil, de ce dragon qui semble à l'affût du songe dans son îlot de flammes. Sur les cartes du Viêt-nam, le dragon s'avance en figure de proue dans la mer de Chine. Il épouse l'eau comme la respiration tranquille de l'homme qui dort; rêve ou cauchemar, dont il semble être l'ébauche, gravé sur le bras, dessiné dans la plus pure tradition des aquarellistes chinois dont la technique consistait à faire ressortir la beauté de l'encre et la résonance des couleurs. Tout autour, cet espace vide, silence de la maison, de la forêt, de la route déserte et comme impatiente d'éternité. Je n'ose bouger sur le seuil de la chambre, de crainte de troubler ce repos du guerrier, cette blancheur du sommeil qui n'est peut-être que le reflet de la nuit, nuit où je ne peux le suivre... Le temps s'est-il arrêté pour lui? Vingt ans ont passé déjà depuis qu'il est revenu au pays.

Mais quel pays? Et qu'est-ce que le pays sans l'amour, oui, sans ce refuge contre l'histoire qui n'est qu'un jeu incessant de réfection et de destruction?

○

Il y a des jours où nous roulons en voiture au hasard des routes désertes qui longent la Rivière Rouge et que la modernité n'a pas encore envahies. On dirait que, là aussi, le temps s'est arrêté. La forêt s'épaissit et parfois il faut poursuivre à pied tant le chemin est étroit et les ornières profondes. Nous allons nous baigner ou pique-niquer sur une grève. Quelquefois, une vieille maison semble nous faire signe. Elles se ressemblent toutes avec leurs toits, leurs murs qui menacent de tomber en ruine et qui attestent les mélancoliques transformations apportées par les ans. Nous marchons dans des sentes ravineuses, nous descendons jusqu'aux torrents où toutes sortes d'oiseaux, d'insectes s'affolent dans les herbes d'une ancienne pelouse aménagée le long des rives. Il faut faire attention en marchant. Les guêpes sont plus malignes que jamais cet été et leurs nids sont bien cachés parmi les fleurs, les fruits et les épines. Une couleuvre dont on a dérangé la sieste dresse sa petite tête triangulaire puis gagne rapidement un abri plus sûr. Au sommet des montagnes, les tours miroitantes des rochers où planent des petits faucons ou éperviers effrayés par une présence humaine qu'ils semblent deviner dans ces lieux dont la variété des sols est étonnante: mousses, lichens, sous-bois et jardins ensevelis sous une infinité de feuillages. Mon regard s'attarde sur une ortie couronnée d'un papillon dont je m'approche pour en faire le dessin. J'en ai déjà toute une collection dans mes cartons.

— As-tu bien vu ce papillon? m'a-t-il demandé, hier soir, tandis qu'il feuilletait mes cartons.

— C'est assez inhabituel de voir un papillon pareil dans ces forêts!

Je lui expliquai combien il était difficile de dessiner un papillon de mémoire mais que, pour ce qui était des dimensions, elles étaient exactes.

— C'est impossible.

— Puisque je te dis que oui.

— Je ne te crois pas.

— Je sais que c'est incroyable, mais c'est vrai. Je l'ai vu, de mes yeux vu.

— C'est un papillon géant! À moins qu'il n'ait été poussé à migrer...

Il réfléchissait en regardant le dessin.

— Oui, cela arrive lorsque leur environnement naturel est détruit.

— C'est ce que j'ai pensé, moi aussi.

Il secoua la tête.

— Non... Les papillons de climats équatoriaux ont plutôt tendance à migrer vers le sud des États-Unis ou les Antilles.

Pendant qu'il réfléchissait, je lui racontai que j'avais souvent fait la récolte des chenilles avec mon père lorsque j'étais enfant, comment je les conservais dans des boîtes jusqu'à ce que les papillons émergent de leur chrysalide et que j'avais déjà possédé des petits morios et des points d'interrogation nés en captivité. Je les lui montrai dans mes cartons et, le lendemain, j'attirai son attention sur certaines espèces de livrée moins brillante mais fort jolies qui voltigeaient autour des campanules dans les jardins.

Car, le lendemain, il m'interrogea à nouveau sur le papillon.

— Il était grand comment, exactement?

Je lui montrai mes deux mains réunies ensemble.

— C'est impossible, répéta-t-il plusieurs fois.

— Je sais que tu ne me crois pas, mais si j'avais pu le capturer, tu aurais pu admirer un des plus beaux papillons de la création, plus beau même que le papillon Ulysse qu'on dit être le plus magnifique au monde.

— Tu ne vas pas me dire que tu en as vu ici?

— Non, le papillon Ulysse se trouve en Nouvelle-Guinée, mais j'en ai déjà vu dans une volière de papillons, en France, dans le Val-de-Loire. Pour sauver son château vieux de mille ans, le propriétaire a aménagé, dans une serre adossée au mur d'enceinte de son château, une volière à papillons dont certains ne vivent qu'un seul jour. Les plus rares espèces s'y trouvent et qui sait, peut-être même le papillon que j'ai vu à la gare.

Pendant que je parlais de la brièveté de la vie des papillons, il paraissait absent et son silence m'étonna. Il ne parla presque pas de la journée sauf pour dire, à la toute fin du repas, le soir, alors que nous dînions sur la galerie.

— Non, c'est impossible, il s'agit sûrement d'une de ces aberrations que l'on rencontre dans la nature.

— C'est que tu n'as pas l'habitude d'observer les papillons. Il y en a de toutes sortes, il y en a qui se cachent et que l'on ne voit presque jamais, les papillons de nuit, par exemple.

Il me regarda, et je vis qu'il était préoccupé.

— Ce n'est pas un papillon de nuit puisque tu l'as vu en plein jour.

Le lendemain matin, je dus recommencer mon récit jusqu'à ce qu'il fût décidé que nous irions à la gare pour voir si le papillon s'y trouvait encore.

Nous avons attendu durant des heures, dans une chaleur étouffante, le papillon. L'heure avançait et il commençait à montrer des signes d'impatience. C'était plein de papillons qui volaient au-dessus des rails et du wagon rouillé, de ceux qu'on voyait fréquemment dans les jardins de la maison et qui n'avaient rien d'extraordinaire. Vers trois heures de l'après-midi, il se fâcha, à bout de patience.

— Tu as dû voir un bout de papier, myope comme tu es...

— Non, je l'ai vu de près... Mais cela m'étonnerait de le revoir ici. Il semblait chercher l'ombre, la forêt.

Nous refîmes le trajet de la route à la forêt où j'avais suivi le papillon. Lorsque nous fûmes rendus dans le sous-bois, je lui montrai la mousse où il s'était posé pour s'abreuver. «Il est resté longtemps immobile, là...» Et nous avons attendu près du ruisseau où essaimaient les moucherons et quelques papillons trapus de la couleur des troncs pourris où ils puisaient leur nourriture. Puis nous avons cherché partout dans les sous-bois, et jusqu'au bord des précipices où parfois les papillons cherchent refuge, et dans les ravins, mais nous n'avons rien vu sinon les espèces les plus communes de nos bois et de nos jardins.

Tard dans l'après-midi, nous avons abandonné nos recherches et nous sommes revenus à la maison.

Ce temps que rien n'avait gâché jusqu'ici était soudain obscurci par une tristesse que je ne m'expliquais pas, une mélancolie profonde dans laquelle il s'abîma jusqu'au soir. Finalement, devant mon insistance à en connaître les raisons, il céda et m'avoua qu'il avait déjà vu un papillon semblable au Viêt-nam. Ce fut à mon tour de lui dire que

c'était impossible. «Oui, c'est ce que je crois», dit-il après
un court silence, mais ce papillon qu'il n'avait vu, après
tout, que dans mes cartons, semblait s'attaquer au souvenir le plus vivant de sa conscience comme s'il était lié à
quelque chose que sa mémoire lui restituait après des
années d'oubli ou plutôt à un événement qui ne s'y était
pas résorbé. J'avais l'impression de me trouver en face
d'un mystère dont je ne pénétrerais jamais le secret, mystère peut-être de sa présence en ces lieux, du papillon dont
la vision s'élargissait maintenant de toutes les tenailles de
l'imagination, mystère de l'Asie, de l'Orient, pays lointains
où la mort et la guerre, vues de si loin, ne me paraissaient
toujours pas réelles et, lorsqu'il se mettait à en parler, le
soir surtout, quand les lucioles étoilaient les jardins et que
le silence envahissait la nuit, c'était avec une voix grave et
douce dont j'écoutais le murmure et dont le velours se
mariait à celui de la nuit et des feuilles qui se retournaient
vaguement dans le clair de lune. Peut-être était-ce plus facile
pour lui de se souvenir au milieu de ces jardins paisibles,
oubliés sous la lune?

9

Au milieu du couloir prend naissance un escalier qui monte au grenier. En fait, deux escaliers donnent accès au grenier. L'autre est fermé par une trappe que l'on doit soulever pour pénétrer dans cette pièce remplie de livres sur les guerres et les révolutions.

Je savais qu'au cours des guerres et des révolutions bien des gens disparaissaient. Le père d'Endre n'est-il pas un de ces disparus dont, hélas, on ne sait rien?

Dans ce grenier où je vais lire tandis qu'il travaille à réparer la rampe de la galerie, les frontières entre le rêve et la réalité s'effacent parfois tant il y a dans certaines destinées quelque chose qui défie l'entendement humain. Celles-ci trouvent, du moins, de terrifiants échos dans le cœur des hommes.

Deux mille trois cents soldats ont disparu durant la guerre du Viêt-nam, sans laisser de traces.

Il y a un coffre dans le grenier qui contient des livres innombrables à ce sujet de même que des récits de gens vivant en captivité. Il y a des combattants qui ont vécu de un à neuf ans dans les camps de la mort du Sud-Est asiatique.

C'est tout à fait par hasard que j'ai été introduite dans l'enfer de ces captivités alors que je cherchais dans les livres un passage dans lequel l'auteur aurait fait la description d'un papillon comme celui que j'avais vu à la gare.

Mais pourquoi tous ces livres? C'est poussée par un certain malaise que je les ai lus d'abord. Ces livres, les avait-il lus et relus au cours des nuits, des jours qu'il avait passé seul dans la maison, cherchant quoi au juste, cherchant quelle tranche de son passé impossible à occulter?

Fuite hors du Laos[1] raconte une aventure qui semble se dérouler hors du monde. Ce livre, sur lequel je tombai en premier, est le récit d'une évasion spectaculaire. L'auteur, Dieter Dengler, est un pilote qui fut capturé en 1966 par le Pathet-Lao lorsque son avion fut abattu au-dessus du Laos. Cinq mois plus tard, il réussissait à s'évader et il raconte dans son livre l'extraordinaire odyssée de cette fuite. C'est par pure chance s'il a été rescapé. Un pilote nouvellement arrivé au Viêt-nam voulut faire preuve de zèle et fit retour arrière malgré l'ordre de passer outre lorsqu'il vit un bout de parachute flotter au-dessus d'une rivière et ce qui lui semblait être un homme lui faisant désespérément signe au milieu de l'eau.

Au bord de ces eaux volent des papillons, seuls soupçons d'âmes dans cette jungle que des milliers d'années de pousses ont envahi et dont les vipères, les sangsues, les bêtes féroces, la vermine ont fait leur royaume. Petit à petit, le récit devient hallucinant... Ils sont quatre à tenter l'évasion. Un autre Américain sera tué à coups de machette par des villageois alors, qu'obsédé par la faim, il s'écarte du groupe pour aller chercher de la nourriture. Deux soldats thais feront route séparément, mais pour disparaître à tout jamais dans la jungle. Ne reste plus que le héros du livre aux prises avec ce monstre qu'est la jungle, ses murs

---

1. *Escape from Laos*, Deter Dengler, Presidio Press, 1979.

de vignes, de bambous, d'herbes coupantes, ses animaux d'allure préhistorique tel que l'iguane énorme, à crête acérée et dont Dengler mange les abats crus. De curieux petits vers luisants et orange, pareils à des dragons minuscules, retiennent un instant son attention, car on ne connaît pas, de tout ce qui fourmille et rampe dans ces terrains putrides, les puissants mécanismes de défense ou d'attaque. À tout moment, on peut être mordu, piqué, happé, dévoré, enfoui vivant dans ces marécages où l'on enfonce jusqu'aux genoux, et où se cache l'anophèle, insecte qui transmet le paludisme, ou enseveli dans des nuits qui laissent chuter la température et dont l'humidité, le froid, la moisissure contaminent l'organisme. Des serpents s'enroulent dans les lianes, cobras, bongares dont la morsure tue presque instantanément.

Dengler livre contre les forces démentielles de la jungle le combat le plus opiniâtre de sa vie. L'ours géant qui surgit tout à coup des ténèbres de la brousse est un épisode de plus qu'il vit dans le rayon de la mort. Dressé sur ses pattes arrières, l'ours évalue sa proie, jauge son effroi... Sur sa poitrine, une tache blanche en forme de croissant de lune... Vision presque onirique où intervient, pourrait-on croire, le surnaturel à la faveur de ce signe alors que l'invraisemblable se produit: l'ours passe son chemin. Il finit par s'éloigner le long de la rivière où poussent des orchidées et où volent d'exquis papillons qui semblent suivre Dengler dans sa fuite éperdue, car la rivière ne débouche nulle part, elle ramène sans cesse au point de départ comme une pieuvre retenant dans ses tentacules le fol espoir de la liberté.

Pendant des semaines, les avions passent et ne voient pas les signaux, le feu péniblement allumé avec des morceaux de bambou frottés ensemble, la mince colonne de fumée qui s'élance dans le ciel et qui risque à tout moment d'alerter l'ennemi, de trahir la présence du fugitif qui court le long de la rivière et où volent, dans l'embrun irisé des torrents, de beaux papillons bleus semblables à des petites gerbes de fleurs s'élevant de la boue, des marais pestilentiels, pour venir enchanter cette autre prison dont on ne peut s'évader: la jungle, drapée dans la nuit de ses couloirs interminables et qui ne se soucie pas de donner une sépulture décente à ses morts.

Dieter Dengler est le seul prisonnier à avoir jamais réussi à s'évader du Laos. Aucun autre prisonnier n'en est jamais revenu.

Ce n'est qu'après la guerre que la vérité se fit jour sur les soldats capturés par les Viêt-congs.

Le soir, lorsque nous dînons sur la galerie, nous parlons des livres et des hommes qui les ont écrits. Le sort de ceux qui ne sont jamais revenus défie toute imagination.

Lors de l'opération *homecoming* en 1973, 543 prisonniers seulement ont été rendus à l'Amérique. La National Security Agency, responsable de localiser les camps en territoire ennemi durant la guerre et de dresser la liste des prisonniers qui y étaient détenus, estime que quatre à cinq cents hommes n'auraient jamais été rapatriés. Sur les 549 disparus au Laos et recensés par la CIA, neuf en tout sont revenus, mais parce qu'ils avaient été transférés au préalable dans une prison de Hanoï, peu avant la fin de la guerre. Aucune entente n'a jamais été conclue entre les américains, le Laos et le Cambodge pour le retour d'hommes faits prisonniers là-bas. Seule une entente avec le Viêt-nam fut négociée.

Il y a certains noms qui reviennent souvent dans les livres. Ils ne cessent d'alimenter le soupçon au sujet des disparus que l'on présume être morts.

David Hrdickla, porté disparu, fut en réalité capturé au Laos. Son nom ne figurait pas sur la liste officielle des prisonniers de guerre. Sa capture fit, par contre, la première page d'un journal soviétique avec photo à l'appui. L'on retrouva deux lettres signées de la main de Donald Sparks et datées de deux ans après qu'il eût été présumé mort. On les retrouva parmi les effets personnels d'un Viêt-cong tué au combat. Le nom de Dooley, également présumé mort, a été gravé sur le mur de la cellule d'une prison où il aurait été incarcéré. À ces disparitions mystérieuses s'ajoutent des dizaines d'autres disparitions qui continuent à nous poser une énigme.

Des hommes attendent-ils encore, depuis quinze, vingt ans, qu'on vienne les libérer ou sommeillent-ils tout simplement du grand sommeil des exilés, dénaturés tant au moral qu'au physique, ayant perdu toute notion de leur rang, de leur race, de leur pays?

Le plus passionnant des dialogues s'engagea alors entre lui et moi sur ce dernier pont que les désastres de la guerre a emporté: les hommes disparus dans le Sud-Est asiatique. Et tous les soirs, nous en parlons longuement, assis sur la galerie et parfois jusque très tard dans la nuit et, le lendemain, il me faut vite monter au grenier, ouvrir à nouveau ce grand livre de la jungle où plusieurs sont morts d'épuisement, de dysenterie, de malnutrition ou torturés au-delà des limites de toute endurance humaine.

Le plus horrible des camps de la jungle était situé à l'ouest de Danang[2]. Les prisonniers de ce camp étaient entassés dans une paillote. Les bactéries qui proliféraient dans les matières fécales étaient la cause de nombreuses maladies parfois impossibles à diagnostiquer, maladies de la peau, par exemple, épiderme qui se fend, plaies qui suppurent propageant la contagion. Ceux qui n'y mou-

---

2. Témoignages recueillis par Zalin Grant, *The Survivors*, Éditions W. W. Norton Co. Inc., N.Y., 1975.

raient pas étaient tentés de se laisser mourir et certains s'éteignaient, à bout de force et d'espoir, repliés dans la position fœtale et en appelant le nom de leur mère. Bien que les prisonniers se faisaient un devoir de s'assister l'un l'autre, ils finissaient par être réduits à l'état de bête, leur moral se minait, des disputes éclataient, que les gardes encourageaient dans l'espoir d'aliéner les plus faibles pour les faire passer dans le camp ennemi. Ces derniers ne revenaient-ils jamais? La torture, l'opium dont on se servait parfois pour soigner mais aussi pour favoriser «l'état de grâce» rouge ont-ils eu raison d'eux?

Une tentative d'évasion pouvait être punie de mort.

Ces camps étaient difficiles à localiser. La plupart n'étaient pas fixes. Les prisonniers se déplaçaient souvent et à chaque nouvel emplacement, on construisait des cages de bambou où les prisonniers étaient mis aux fers. Ces cages étaient placées habituellement au bord d'une rivière, ce qu'attestent de nombreux témoignages dans les livres. La mobilité des prisonniers rendait le sauvetage difficile de même que les terrains montagneux et la densité de la jungle où la descente en hélicoptère risquait d'être périlleuse. Ces camps étaient si bien camouflés sous les hautes futaies de la forêt qu'ils étaient souvent invisibles à la détection aérienne. Cependant, la jungle offrait plus de possibilités de fuite que les hautes prisons murées de Hanoï.

Une autre évasion que l'on aurait cru impossible est celle de James N. Rowe[3] des Forces Spéciales, qui réussit à s'échapper après cinq ans de captivité! Rowe est de ceux dont Soljénitsyne dira, lorsqu'il s'adressera aux familles des disparus dans le Sud-Est asiatique, qu'il aurait pu être destiné à ne revoir jamais le monde des vivants, car il est de

---

3. *Five Years to Freedom*, James N. Rowe, Ballantyne Book, 1971.

ceux dont les gardes n'arrivent pas à briser la volonté. Ses compagnons seront relâchés. Rowe restera seul à affronter l'épreuve de la captivité, mais le plus dur reste à vivre: la solitude. Il a été témoin de la misère morale et physique de ses camarades. Trois sont morts de faim et un autre a été exécuté. La nuit, il est mis aux fers dans sa cage de bambou dont il ne peut sortir pour se soulager. Atteint de dysentrie depuis le début de sa captivité, il apprend à vivre dans l'inconfort et la souillure. La gaze moustiquaire dont il s'enveloppe la nuit pour dormir à l'abri des moustiques doit être lavée chaque jour ainsi que ses vêtements qui sèchent mal dans cette forêt profonde où le soleil ne pénètre presque jamais. Le panneau de plastique qui recouvre le dessus de sa cage et la natte de paille qui lui sert de couvre-sol ne réussissent pas toujours à refouler les eaux pluviales. L'humidité rend l'air plus fétide et la cage d'autant plus insalubre, elle pénètre dans les bronches. Des cas de tuberculose en résultent, souvent mal soignés, trop tard ou pas du tout. Ce soldat dont on ne peut fléchir la loyauté irrite les gardes. On le punit. Il est forcé, par exemple, de dormir nu sans gaze moustiquaire, dans sa cage. Durant trois jours et trois nuits, il est dévoré par des milliers de moustiques ivres de sang qui festoient à même sa chair déjà ulcérée par les pustules et les éruptions cutanées. Les gardes mettent fin au supplice juste avant qu'il n'en meure ou devienne fou.

Plusieurs fois, je revins sur ces pages où des papillons prennent leur essor après être venus fouiller les mornes suants de la jungle aux abords de la cage de bambou. Tout ce qui vole, court, gambade, capte le regard de Rowe et les animaux de la forêt l'aident à surmonter l'horreur de ce qu'il vit. Une musaraigne dont il s'est fait l'ami dort avec lui dans sa cage. Des aigles qu'il apprivoise se chargent de lui trouver le complément de nourriture dont il a besoin et, peu avant son évasion, il recueille une colombe dont il aura du mal à se séparer au moment où il se sent prêt à tenter la fuite lorsque des Cobras américains feront leur apparition dans le ciel et que les gardes effrayés se disperseront dans les joncs, facilitant son évasion.

C'est à un ordre tout à fait arbitraire que Rowe doit sa vie. Normalement, il aurait été abattu, car il porte le pyjama noir des Viêt-congs. On le prend pour l'ennemi mais le commandant de bord de l'hélicoptère vers lequel, à l'étonnement de l'équipage, Rowe se précipite, donne ordre de ne pas tirer. Il le veut vivant pour le faire prisonnier.

Si le héros est un personnage auquel on prête un courage et des exploits remarquables, Rowe est certainement de ceux-là mais, ce qui le rend digne à nos yeux, c'est son amour des hommes et son aptitude à conserver l'usage de toute sa raison au milieu du malheur, de l'abandon et de l'isolement dans une cage de bambou.

J'eus du mal à refermer le livre après l'avoir lu et j'eus même du mal à en parler ce soir-là.

○

La guerre du Viêt-nam est comme une maison à multiples volets. Il y en a de clos, que l'on ne peut ouvrir sans se perdre en conjectures infinies, enfer d'hypothèses, de doutes qu'alimente la dissimulation communiste. Les Russes n'ont-ils pas nié pendant des années qu'il y avait des camps de concentration en Russie?

C'est fort de ces doutes, de ces soupçons, que le gouvernement américain a choisi de retenir, pour des raisons symboliques, un nom, un seul nom de prisonnier qui serait à l'heure actuelle détenu au Viêt-nam. La liste est, par ailleurs, laissée en blanc.

Le colonel Shelton a été capturé en 1965 au Laos. Sa captivité n'a jamais été confirmée par le Pathet-Lao. Des sources sûres des services de renseignements américains indiquent qu'il aurait été rescapé par des mercenaires indigènes alors qu'il tentait de se rendre en Thaïlande, puis capturé à nouveau et incarcéré finalement au Viêt-nam où il serait détenu depuis 1976. Son épouse a fini par se suicider après avoir attendu son retour durant 20 ans. Elle est morte en 1989, l'année même où James N. Rowe était assassiné aux Philippines, au cours d'une embuscade de nuit, par les communistes qui, depuis son évasion, avaient sans doute mis sa tête à prix.

Les livres éternisent la fragilité de toutes ces destinées.

Leurs voix résonnent dans les jardins, la nuit, lorsqu'il s'abandonne au magnétisme du souvenir.

Morts? Disparus? Encore vivants?

Leurs ombres passent dans le ciel en longue file processionnelle, glissent sans bruit parmi les étoiles, hommes à l'accès perdu mais qui desserrent peu à peu les liens de l'invisible autour de nous.

Bien des questions demeurent sans réponse mais ouvrent d'infinies perspectives sur les différents degrés d'enfer créés par les hommes.

Les conversations se terminent parfois à l'aube. Il prend mon bras et nos pas s'accordent tandis que nous marchons sur la route ou la grève à l'heure où le soir tombe et où la forêt s'enchante des mille plaintes coulées des oiseaux. La lune passe alors dans le miroir du lac comme une lyre qui n'attendait plus qu'un souffle pour réveiller le souvenir.

Je ne sais pas, par contre, à quel moment de son histoire les livres attachent sa mémoire. Mais combien terrifiant est le sort incertain de ceux dont il me parle!

Il y en a qui ne sont jamais revenus de la chambre des tortures et que l'on dit disparus dans le vaste réseau des camps de concentration communistes. Il y a eu des interrogateurs russes dans les prisons du Viêt-nam et même un interrogateur cubain surnommé «Fidel» et qui passait à tabac des prisonniers qui étaient en captivité dans une prison située aux environs de Hanoï et désignée sous le nom du «zoo». Certains pilotes spécialisés dans les technologies de pointe et dont les Russes avaient grandement besoin auraient été transférés à Moscou. Leur nom, par conséquent, n'aurait jamais figuré sur la liste officielle des prisonniers de guerre. En 1954, le Département d'État américain était au courant de l'emprisonnement d'environ 5 000 Américains entre les mains des Soviets et de leurs pays satellites. Des milliers d'Américains, de Britanniques ont été kidnappés par les Russes lors de la dernière guerre mondiale et dirigés vers des camps en Pologne ou ailleurs. Des prisonniers de la guerre de Corée ont été vus dans une usine de Qindao, ville portuaire de Chine qui fait face à la péninsule coréenne. Ils étaient employés à des travaux forcés. D'autres ont été réduits à l'esclavage dans les mines de sel de Shantung et les mines d'uranium de Sinkiang. Un écrivain américain, John Noble, capturé par les Allemands en 1939 puis emprisonné à Dresde par les Russes lors de l'occupation, fut expédié dans un camp de Sibérie. Relâché en 1955 à la suite de négociations entre le Département d'État américain et Malenkov, il a témoigné devant le Congrès américain et confirmé l'existence de nombreux autres Américains tenus prisonniers en Sibérie depuis la Seconde Guerre mondiale.

Chercher qui que ce soit dans ce vaste réseau de prisons où personne n'a accès revient à vouloir chercher une aiguille dans un tas de foin. De plus, comment retrouver un individu «mutilé»? Car ce que vise la rééducation communiste, c'est la disparition du vieux «moi». Le constant laminage psychologique auquel étaient soumis les militaires faits prisonniers dans le Sud-Est asiatique peut anéantir la personnalité, entraîner une perte totale d'identité. Une telle atomisation du cerveau peut provoquer un oubli presque total du passé et faire d'un individu un être ne vivant plus que sa mort, comme ces Américains qui ont été vus par un officier vietnamien incarcéré à Than Hoa, qui étaient maigres, couverts de gale et qui avaient peine à se soutenir sur leurs jambes tant ils étaient faibles, trop faibles certainement pour se souvenir.

Mais comment croire sur parole tous ces témoins oculaires? Il y en a des milliers. Parmi ceux qui laissent planer le soupçon: Robert Garwood, accusé à tort de désertion et revenu quatorze ans après la fin de la guerre. Garwood avait presque oublié sa langue d'origine et il parlait l'américain avec un fort accent vietnamien. Il est peut-être le témoin le plus gênant dans cette affaire embrouillée qu'est la question des prisonniers retenus dans le Sud-Est asiatique. Garwood affirme avoir vu des Américains détenus dans la prison de Yen Bay où il a séjourné, à Bat Bat dans la province de Son Tay à environ cinquante-six kilomètres de Hanoï, dans un entrepôt à Gia Lam, dans une caserne militaire, rue Ly Dam à Hanoï, ainsi que des prisonniers de la guerre d'Indochine sur une ferme laitière au mont Bavi. Garwood était employé à réparer des véhicules abandonnés par les forces armées américaines. Il se déplaçait souvent dans Hanoï et les environs, accompagné de gardes. Les prisonniers, dit-il, étaient divisés en trois catégories, ceux qui pouvaient travailler, ceux qui en étaient incapables et ceux auxquels Soljénitsyne a fait allusion, les incorrigibles, qui refusaient de travailler ou de se soumettre. Garwood réussit à passer pour un prisonnier modèle. Il bénéficia d'une plus grande liberté pour circuler dans Hanoï, quoique toujours surveillée. Il arriva néanmoins à ses fins: faire connaître au monde qu'il était retenu prisonnier au Viêt-nam. Il transmit un message à un diplomate finlandais qui se trouvait dans un hôtel où on l'avait mandé pour réparer un camion. Le diplomate fit diffuser le message sur les ondes de la BBC à Londres: Garwood demandait d'être rapatrié. Les Vietnamiens furent obligés de le rendre mais non sans le discréditer aux yeux d'un pays déjà réticent à l'accueillir et où il passait pour traître. Ils se défendirent d'avoir jamais retenu Garwood prisonnier et affirmèrent que celui-ci était resté de son plein gré au Viêt-nam. La désertion ne put être prouvée en cour martiale. On ne retint qu'une accusation, celle de collaboration que Garwood continue à nier jusqu'à ce jour.

On exigea de Garwood qu'il garde le silence sur les prisonniers qu'il avait vus. Il s'attendait à ce qu'on les rapatriât. Au bout de cinq ans d'attente et convaincu que ces hommes avaient été abandonnés, Garwood rompit le silence, mais il existait déjà trop de témoignages dénués de preuves. Des centaines de *boat people* disaient comme Garwood: qu'il y avait encore des Américains détenus dans le Sud-Est asiatique. C'est de guerre lasse que l'Amérique y prêta l'oreille. Qu'était-ce qu'une poignée d'hommes en comparaison à des milliers de morts au Viêt-nam, des dix millions de tonnes de bombes déversées sur le pays, des forêts défoliées, des villages, des hameaux réduits en cendres, des femmes violées, des enfants tués? Les preuves, là, étaient accablantes.

○

J'ai tenté de résumer dans ces pages l'essentiel de nos conversations sur ces soldats oubliés dont nous n'avons ni preuve de vie ni preuve de mort et qui sont destinés peut-être à entrer dans la légende car on pourrait broder à l'infini sur ce canevas de spéculations auxquelles se sont livrés les historiens de la guerre du Viêt-nam.

Le dessin du papillon qui traîne sur la table du salon attire chaque fois son regard. Il interrompt alors le fil de son récit pour le regarder, l'interroger, dirait-on, mais d'un regard absent. L'aurait-il vu volant au-dessus de ces cratères creusés par les bombes et devenus maintenant viviers de poissons? Ou dans les jardins d'une villa vétuste à Hué ou en banlieue de Saïgon, dont les volets comme ceux qui, ici, ont brisé leurs gonds, s'écaillent et battent au vent? Ou planant, silencieux, au-dessus du velours rongeur des mousses comme en ces moments où même les mots n'arrivent pas à rompre le silence, car alors il se tait, mais la conversation reprend lorsque nous descendons le soir vers le lac pour y faire un feu et pique-niquer à la lueur des étoiles.

— Des camps ont été localisés...

On dirait qu'il parle d'une distance qui ne règne plus que sur des fantômes là où le mystère reste entier.

Des hommes blancs ont été vus dans ces camps, du haut d'un avion volant à basse altitude dans des préaux de prisons, ainsi que des appels au secours foulés de pas d'hommes dans les herbes à éléphant, la lettre B, par exemple, suivie des chiffres 52, indiquant qu'un équipage d'avion B-52 se trouvait peut-être en captivité dans un camp non loin de là. Une bouteille fut trouvée, jetée à la mer, et contenant un message signé de noms d'officiers se disant en captivité et demandant que leur message soit remis à l'ambassade américaine la plus proche. Des convois de prisonniers caucasiens furent aperçus, accompagnés de gardes, par des *boat people*, à des dates et en des lieux différents. Près de deux mille témoignages en tout.

Les services de renseignements américains ont émis des hypothèses basées sur toutes les données qui ont été recueillies. Tantôt on dit ces hommes au Viêt-nam ou ailleurs dans le Sud-Est asiatique, tantôt en Russie, ce qui est probable, car les Vietnamiens nient les avoir en leur possession. Certains pilotes dont les avions se seraient écrasés au-dessus de la Chine seraient détenus dans ce pays. Le témoignage des Vietnamiens qui ont été libérés des camps dans le Sud-Est asiatique permettent même d'en arriver à la certitude que ce serait contraire aux lois de la probabilité qu'il n'y ait pas de détenus parmi les disparus.

Truong-Vinh-Le[4], ancien président de l'Assemblée Nationale de la première République du Viêt-nam et ami personnel de Diem, est un de ces revenants des camps qui a réussi après sa libération à prendre la fuite par bateau. «D'autres camps furent créés après la prise du pouvoir par les communistes», écrit-il. «Dans la jungle, dans les montagnes, dans des endroits éloignés.» Incarcéré dans les prisons de Thu-Duc en banlieue de Saïgon, de Bach Dang, de Chi-Hoa, Truong-Vinh-Le connaîtra la dernière extrémité, le camp K-5 qu'il nomme la Sibérie vietnamienne, qui comprend une centaine de camps situés dans le nord du Viêt-nam. Il cite des noms d'hommes qui y sont encore détenus et qui n'en sortiront peut-être jamais, du moins pas vivants, car ils seraient, comme lui, comme tous ceux qui ont témoigné des horreurs de leur captivité, des témoins gênants pour une histoire de libération qui se veut édifiante.

---

4. *Viêt-nam où est la vérité?*, Éditions Lavauzelle, Paris, 1989.

○

Le dimanche, nous allons à la tabagie du village le plus proche pour y acheter les journaux. On y trouve beaucoup d'articles sur la «perestroïka» et sur le «dongmoï», l'ouverture à l'ouest du Viêt-nam. Depuis 1988, environ 600 000 *boat people* se sont réfugiés à Hong Kong et vers la même année 150 000 Vietnamiens ont quitté Hô Chi Minh-Ville dans le cadre de départs organisés par les Nations-Unies. Aucune mention n'est faite des camps ni des forteresses de la mort qui se sont refermées sur ces spectres vivants où le doute laisse planer une ombre.

Peut-être est-ce cette ombre que j'ai voulu traduire, à mon insu, sur la toile, lorsque j'ai vu pour la première fois la maison, les jardins abandonnés et le geai s'envoler du toit? Et qui se recoupe maintenant en une évocation sulfureuse, celle ô combien cruelle, de l'éternité des peines sur cette terre!

○

L'été touche à sa fin. Le paysage n'exalte plus, comme auparavant, à l'oubli. Aux yeux du souvenir, que l'amour est faible! Un sursaut de joie charnelle a fait place à l'hédonisme des premiers jours mais joie presque sombre, comme un pressentiment de l'ombre encore dans laquelle nous avons vécu tous les deux, à l'écart de la vie presque, cherchant peut-être, moi à cacher mon délaissement au cœur du monde, lui à se mettre à l'abri du passé. Ombre aussi de tout ce que je ne sais pas, de lui, de ce pays au

Fleuve Rouge dont le dragon semble garder jalousement
l'entrée.

10

La voiture s'arrêta là où la route se termine, derrière la maison. J'étais dans le bosquet en train de peindre. Le temps était gris mais le soleil perçait de temps à autre les nuages, nimbait la maison d'une lumière diffuse, difficile à capter sur la toile. La maison n'avait plus cependant son aspect fantômal des premières esquisses. Elle avait l'air d'une immense pagode avec son toit pavillonnaire. Comment ne m'en étais-je pas rendu compte dès le début? Ce qui me préoccupa un peu de même que cette visite inattendue, car la voiture ne repartait pas et j'entendis des voix, voix qui s'éteignirent dès que les visiteurs furent entrés dans la maison.

J'avais vu, la veille, une voiture sur la route, mais elle avait rebroussé chemin. Quelqu'un qui s'était sans doute égaré, m'étais-je dit, et qui, devant les branches tombées (il avait plu durant trois jours) et les eaux de ruissellement accumulées sur la route, avait hésité. Ses occupants (ils étaient deux) se demandaient sans doute où ils étaient, si la route débouchait quelque part. Un des occupants de la voiture était sorti, avait jeté un coup d'œil sur la maison puis il avait débarrassé la route des branches, mais au lieu de poursuivre, la voiture avait reculé puis fait demi-tour à

81

l'endroit où la route s'élargissait et où j'avais déjà garé la mienne le jour où j'étais venue pour la première fois dans cette partie de la forêt.

Or, c'était la même voiture.

J'avais cru la première fois qu'on avait fait halte dans l'intention de demander des indications car il était facile de se perdre dans les nombreux chemins de bois de la vallée. Comme nos voitures, à tous deux, étaient garées dans le hangar qui fermait la route derrière la maison, rien n'indiquait que celle-ci était occupée. J'en avais conclu que les hommes, voyant ou croyant qu'il n'y avait personne, étaient tout simplement repartis.

Cependant, je ne bougeai pas du bosquet, espérant soit qu'ils repartent ou qu'on vienne me chercher, et le temps qui s'écoula me parut extrêmement long. Cela m'étonnait qu'il ne m'ait pas appelée. Sans doute y avait-il une raison et la plus plausible me paraissait être que ces gens, qu'il connaissait peut-être, étaient des intrus dont la visite, déjà trop longue, risquait de s'éterniser si je me joignais à eux. Il cherchait sûrement à s'en débarrasser. Je restai donc dans le bosquet, cachée derrière les feuillages, convaincue que, tôt ou tard, la voiture repartirait. D'ailleurs, je n'avais aucune envie de rencontrer ces étrangers, mais de me concentrer plutôt sur la toile où j'avais commencé à mettre de la couleur. Certains détails avaient déjà été complétés au crayon pour que le dessin soit plus exact, la forme curieuse du toit surtout, avec ses fenêtres à pignons d'où j'avais tant de fois admiré les quatre horizons sur lesquels la maison avait vue, maison dont je tentais toujours de percer le sens occulte, celui du moins que me révélerait l'œuvre une fois achevée et qui soudain ressemblait à ces maisons de mon enfance que l'usure du temps et les pluies avaient torturées au fil des ans et où nous allions cueillir des vestiges du passé, des bouts de bois, des clous, des pentures rouillées et des morceaux de ferraille qui traînaient sur le sol et dans les jardins comme des vies qui avaient passé là, de mort à trépas, et qui nous faisaient signe derrière les nombreuses métamorphoses que le temps leur avait fait subir, temps qui avait jeté sur toutes choses une impalpable poussière comme celle qui revêtait les livres au fond du coffre et que j'avais momentanément tirés de l'oubli. Ce fut alors le même émoi qui me saisit, celui que nous éprouvions, enfant, lorsque nous nous approchions à pas muets de ces lieux où l'on faisait d'étranges découvertes et où des bêtes invisibles avaient creusé des trous, des terriers où le pied enfonçait, là, ou sur la marche d'un escalier qui ne débouchait nulle part. Maisons à ciel ouvert qui ressemblaient à des cris inarticulés et dont nous nous approchions avec le sentiment de nous engager dans un imprévisible chemin de traverse où l'on ne pénètre pas impunément et auquel les oiseaux solitaires ajoutaient une grâce mystérieuse tout comme les chats qui parfois y rôdaient et qui seuls osaient franchir les limites de ce qui nous semblait être un jardin défendu, hanté... Chaque son, chaque bruit, si léger fut-il, provoquait un trouble, une fêlure dans le silence, dans cet au-delà né de notre imagination alors que la réalité rejoignait la fable, mais tout n'était que jeu, simulacre, jusqu'à notre peur lorsque, croyant entendre quelqu'un marcher tout près ou remuer dans la maison, nous nous enfuyions en poussant des cris et à toutes jambes.

Tandis que l'après-midi tirait à sa fin, je tentai d'unifier sur la toile ces fragments isolés de ma mémoire qui correspondaient parfaitement à l'image perçue de la maison, du moins lorsque je l'avais crue abandonnée. Jusqu'alors, l'idée des vols et des assassinats ne m'était pas venue à l'esprit dans cette maison où l'on pouvait dormir, la nuit, la porte ouverte. Bientôt, je cessai de peindre et je me mis à guetter avec appréhension la maison. Le silence n'était plus troublé maintenant que par le bruit d'ailes d'un oiseau qui froissait les feuillages ou par le cri du geai qui volait à l'écart de la toiture où il avait l'habitude de chercher refuge comme s'il se plaignait de quelque chose qui lui paraissait inhabituel et dont il s'écartait d'instinct tout en subissant l'attirance, car il ne cessait de voler en cercles autour de la maison.

Je décidai d'attendre encore un peu plutôt que de manifester ma présence tout en me disant que la voiture finirait bien par repartir. Les jardins commençaient à se voiler de toutes les teintes grisâtres du soir lorsque, vers quatre heures, j'entendis le moteur de la voiture qui démarrait, puis enfin elle s'éloigna sur la route.

Je m'empressai de regagner la maison.

La porte avait été fermée à clé! Ce qui n'était pas normal. Un instant, l'effroi (ou était-ce le sentiment d'avoir été abandonnée encore une fois?) glaça tous mes sens et j'hésitai sur la galerie, ne sachant si je devais fuir ou entrer. Nous laissions toujours un double des clés sous une roche au pied de l'escalier. Je soulevai vite la roche et vit les clés. Pourquoi donc avait-il fermé à clé me sachant là? S'il avait voulu m'interdire l'accès de la maison, ce qui était improbable, il aurait fait disparaître les doubles. Je fis tourner la clé dans la serrure, tout doucement, de crainte qu'il n'y ait quelqu'un dans la maison puis j'entrai en tremblant. Voyant qu'il n'y avait personne dans le salon, j'allumai la lampe. Je constatai que rien n'avait été déplacé et que les mêmes revues traînaient toujours sur les fauteuils comme si personne ne s'était assis et que tous trois ils avaient discuté longuement, debout, près de la porte. Qu'avaient-ils mis un si long temps à se dire? Et pourquoi était-il reparti avec eux sans m'avertir, avait-il dissimulé ma présence?

Je fis le tour de la maison. Je montai même au grenier et j'allai m'asseoir sur le coffre pour réfléchir à cette disparition dans laquelle il me semblait entrevoir toute la magnétique horreur des abîmes que creusaient à l'infini les livres qui étaient désormais sous clé. Fallait-il attendre? Où m'en aller d'ici et le plus vite possible, pendant qu'il en était encore temps?

Je mesurai une fois de plus l'immense perte que j'allais subir en quittant cette maison, me sentant aussi démunie en face de la vie que lorsque Endre était parti. C'était comme si la même main cruelle me poussait à nouveau vers le gouffre de la solitude de sorte que je ne savais plus ce que la distance avait creusé ou réuni.

Je m'attardai, avant de partir, dans la chambre et je demeurai quelque temps à regarder la lune par la fenêtre. Je pensais qu'il ferait beau le lendemain et que je devrais peut-être attendre. Un moment, j'hésitai et impuissante à trouver la force nécessaire pour partir, je cherchai des raisons, des excuses à son comportement. Je n'en trouvai pas de valable.

Je fis plusieurs fois le tour des pièces avant de me décider à partir et à quitter cette maison où il m'avait semblé retrouver quelques traits isolés de l'amour perdu, pareil à ce guerrier solitaire et proscrit qui était venu chercher, loin du monde, en vain la paix, en vain l'oubli.

Après m'être bien assurée que toutes les fenêtres étaient fermées, je me dépêchai, peu après minuit, de quitter les lieux. Je traversai d'un pas rapide les jardins et me dirigeai vers l'abri où j'avais garé ma voiture dès que les orages avaient éclaté. La sienne se trouvait, depuis hier, sur la route, signe d'une présence qui avait peut-être encouragé les visiteurs à venir frapper à la porte de la maison. La clé de sa voiture se trouvait parmi les doubles. Je rangeai donc sa voiture dans l'abri de crainte qu'elle ne

soit heurtée par un arbre ou une branche si la foudre venait à frapper, car les orages, ces derniers temps, nous
avaient pris par surprise. Puis je me dépêchai de remettre
les clés sous la roche et de quitter ce lieu où j'avais goûté
des joies infinies et que recouvrait maintenant la nuit.

11

Pendant des semaines, je demeurai perplexe, impuissante à réunir tous les morceaux épars des derniers jours passés dans la maison. Et quelle déception lorsque le téléphone sonnait et que ce n'était jamais sa voix au bout du fil!

Au travail, j'étais distraite. Je songeais à nos longues conversations, le soir, après le dîner, devant les fleurs et les bougies, à la lune, si belle dans les jardins, à la nature qui nous livrait sa beauté désespérante tandis qu'il parlait du Viêt-nam comme d'une soif qui le brûlait et qu'il m'introduisait dans tous les détails de cette guerre dont il n'arrêtait plus de faire l'autopsie, reprenant sans cesse les thèmes familiers aux livres.

J'essayais de me rappeler ces conversations, d'en récapituler l'essentiel tout en m'étonnant du fait qu'à aucun moment il ne s'était attardé à sa propre expérience du combat. Tout ce que je savais de cette partie de sa vie, c'est qu'il avait été au Viêt-nam en 1965, au tout début du conflit, avec le premier débarquement des Marines à Danang. La question des disparus m'avait tant passionnée que c'est là-dessus surtout que je l'avais interrogé et lui qui, habituellement, avait tendance à se retrancher en lui-même dès que je tentais de tirer de lui quelque détail vécu, personnel, s'était mis à parler d'abondance comme s'il partageait ma passion pour ce mystère qui, comme notre histoire à tous deux, semblait se dérouler en dehors du temps. Je ne pouvais chasser de mon esprit l'image de la gare, du papillon, de la vallée, qui me rappelait de plus en plus douloureusement l'absence, à cause du train sans doute qui n'y passait plus, absence qui prenait la figure du père d'Endre revenant de Sibérie ou de ceux qui n'étaient jamais descendus de ces trains secrets qui roulaient dans des vallées au Viêt-nam, dans la taïga russe ou les forêts de Chine, que des témoins avaient vus, transportant des convois de prisonniers vers une destination inconnue.

Quant à l'absence dans ma vie, elle ne me torturait pas mais creusait tout simplement un grand vide où le désespoir s'était déjà trop usé.

○

Les parcs étaient déserts durant cette saison de l'année et j'allais m'y promener, le soir, après le travail. Dans les murs couverts de vignes rousses, des oiseaux goûtaient aux derniers rayons chauds d'octobre, du jour qui devenait vite sombre à cette heure. J'observais longuement les oiseaux. Je leur donnais à manger et je sympathisais avec les plus petits qui s'apprêtaient à braver l'hiver et le froid que j'appréhendais un peu, ne sachant si le temps qui guérit tout ferait véritablement son œuvre ici, car il ne s'agissait plus tellement d'amour déçu ou contrarié ni même d'une question difficile à résoudre, celle de son absence, incompréhensible, obscure, si on la reliait aux disparitions dont parlaient les livres, mais de me faire à l'idée que cet été soit devenu sans lendemain. Au fond, je m'en voulais de ne pas avoir attendu plus longtemps. Peut-être était-il revenu, plus tard dans la soirée, m'avait-il cherchée partout dans la maison, dans le bosquet, avait-il hésité avant de décider de ne pas téléphoner, de ne pas chercher à me joindre. Ne devait-il pas retourner au Texas? Jamais, je n'aurais pu le suivre si loin. Il le savait. Oui, que tôt ou tard, nous devrions nous quitter. Alors quoi de plus simple que ces adieux? Sans paroles, sans explications, sans serments, sans fausses promesses?

Je versai néanmoins quelques larmes de regret bien sincère et je tentai de reprendre ma vie où je l'avais laissée, mais j'eus beau faire, je dus me rendre à l'évidence que je ne faisais que tromper une attente: celle, sinon de le revoir, de revoir, du moins, la maison.

12

Ce n'est que lorsque l'angoisse de la séparation fut moins vive que je retournai à la maison. Il faisait beau ce dimanche-là. J'avais très envie d'aller à la campagne, de revoir la Vallée de la Rouge. Le temps était exceptionnellement doux pour un mois de novembre. C'était peut-être une des dernières belles journées de la saison avant l'hiver et je m'en serais voulu de ne pas en avoir profité, car bientôt le chemin menant à la maison s'enneigerait et il me faudrait attendre la fonte des neiges avant de pouvoir satisfaire ma curiosité car je me demandais si la maison était toujours vide ou s'il ne s'était pas passé quelque chose en mon absence, si un des grands arbres dont la lune hantait les cimes, la nuit, n'avait pas été frappé par la foudre, n'était pas tombé sur le toit. C'est non sans appréhension que je garai la voiture à quelque distance de la maison et que, prudemment, je m'avançai sur la route. En passant par le bosquet, le danger d'être vue était moins grand, bien que je ne m'attendisse pas à le trouver là. Le silence m'effraya au premier abord et mon cœur se mit à battre violemment dans ma poitrine lorsque, du bosquet, j'aperçus enfin la maison et les jardins désolés, sauf pour un oiseau qui, de temps à autre, traversait l'espace à la hauteur des arbres pour aller se perdre plus profondément en forêt.

Dans le bosquet, on se serait cru dans un monde où la morte saison ne pénétrait jamais. La mousse y était verte comme en été. Un peu de soleil s'y répandit et l'air de la montagne entra à grands flots dans ma poitrine. Je sentis alors le souffle tiède du jour sur ma nuque comme un dernier baiser dont le soleil était encore tout parfumé, me rappelant l'été et sa main dans la mienne lorsque nous marchions au hasard des sentiers de la forêt. Je demeurai encore quelques instants dans le bosquet, le visage tendu vers le soleil qu'un nuage couvrit presque aussitôt, et le silence alors descendit sur la forêt, inépuisable silence de la forêt dont la montagne et le rocher, de l'autre côté du lac, fermaient l'âpre paysage.

C'est non sans inquiétude que je m'approchai de la maison. Elle se dressait au milieu des jardins ainsi qu'une muraille d'ombre. Je demeurai muette au pied de l'escalier, n'osant gravir les marches, puis je soulevai la roche, m'emparai des clés qui étaient toujours là et montai vite sur la galerie où je m'arrêtai quelques minutes pour écouter le silence avant de faire tourner la clé dans la serrure. Je pénétrai à l'intérieur de la maison. Je me mis à marcher sur la pointe des pieds, gênée d'être là sans permission. C'était si sombre qu'on ne voyait rien. J'appuyai sur l'interrupteur pour faire de la lumière. L'électricité avait été coupée, par les orages sans doute. Il faisait encore plus noir dans le couloir où je n'osai m'aventurer.

Sous les voûtes profondes des poutres du salon, le jour paraissait à son déclin, mais la maison avait toujours été sombre, même en été. Il n'y avait du soleil que le matin. Dès midi, les pièces se remplissaient d'ombre, à cause de la toiture de la galerie qui refoulait la lumière.

Tout dormait dans la pièce et rien n'indiquait qu'il était revenu. Les objets étaient demeurés là où je les avais laissés. Les revues traînaient toujours sur les fauteuils et les mêmes bûches noircies, à demi consumées, reposaient au fond de l'âtre.

Dans la salle à manger, la pièce la plus éclairée de la maison, la lumière sur les murs s'irisait des teintes les plus douces bien que le jour fût toujours gris et les bois de cerf semblaient évoquer le repos éternel de quelque cygne au fond des eaux. Je ne m'attardai pas dans cette pièce où ni lui ni moi n'allions presque jamais et je poursuivis, d'un pas mal assuré, mon voyage à travers la maison d'un cœur toujours battant, car je craignais à tout moment que quelqu'un ne me surprenne.

Une fois rendue dans le grenier, je tentai d'ouvrir le coffre. Il était demeuré fermé à clé. Seul un vieux numéro du *Time* traînait par terre. Je me souvins de l'avoir oublié là, la veille de mon départ. L'unique chaise dans le grenier n'avait pas été déplacée. Elle était toujours face à une des lucarnes qui avait vue sur les collines. C'est là, qu'assise à la fenêtre, j'allais souvent lire. Le paysage n'était plus le même cependant. C'est avec étonnement que je constatai qu'il avait neigé. Des plaques de neige poudraient les sous-bois dans cette partie de la forêt qui était la plus profonde et la plus dégarnie en cette saison. On aurait dit, ce jour-là, que dépouillée de tous les artifices de la nature exubérante, la forêt éprouvait le sentiment de la vanité des choses terrestres et qu'elle se préparait en toute quiétude au grand sommeil de l'hiver. Je regardai attentivement la terre figée dans ses bouquets de branches mortes, paysage que j'avais souvent dessiné et admiré. Ce n'était plus ce paysage baroque que je m'étais plu à reproduire dans mes cartons où la force principale de la vie était sans cesse en mouvement et où les couleurs affluaient en trop grand nombre, mais un vide qui englobait tout, une absence de coloris qui demandait plus de virtuosité de la part de l'artiste, plus de grâce dans le dessin, un trait aussi doux que celui de la mélancolie et du renoncement dont la nature paraissait saisie, enveloppée et on aurait dit que toutes ses plaies, comme les miennes, s'étaient lentement cicatrisées et qu'elle goûtait au repos dans la lumière tendre du jour où soufflait un vent léger qu'on entendait à peine. Aucun bruit hormis le chant timide d'un oiseau blotti au creux d'un arbre et le gémissement des boiseries et du parquet tandis que je passai d'une pièce à l'autre pour bien m'assurer que rien n'avait été volé ou dérangé pendant mon absence.

Je m'arrêtai finalement sur le seuil de la chambre. Les rideaux tirés semblaient garder une chaleur heureuse à l'intérieur bien qu'il fît froid dans cette pièce où le soleil n'avait pas accès. J'entrai. J'ouvris les rideaux. La forêt était si dépouillée qu'on pouvait voir très loin entre les arbres, jusqu'au bord du ruisseau où nous avaient si souvent conduits nos promenades. Parmi les bouleaux blancs, quelques sapins dont l'ombre s'allongeait dans les sentiers que nos pas avaient si souvent foulés. À la limite du jardin, à cet endroit, un immense pin que l'orage avait presque fendu en deux. La cime s'était effondrée, non sur le toit de la maison, comme on aurait pu le craindre, mais au pied de l'arbre parmi les aiguilles dorées dont nous nous servions parfois pour allumer le feu. J'étais soulagée à l'idée que cette catastrophe que j'appréhendais tant avait été évitée et que la maison était demeurée intacte.

Tandis que j'étais debout devant la commode, face au mur sans miroir, je me souvins tout à coup qu'il n'aimait pas les miroirs, à cause de sa cicatrice. Je songeai à la joue où j'avais si souvent appuyé la mienne en dormant, la nuit, mais l'image de l'amour s'était détériorée, me semblait-il, comme si je me retrouvais au point de départ, sur le seuil de l'absence, encore une fois.

Il faisait froid et humide dans la chambre. Une fine couche de poussière s'était accumulée sur le bois de la commode, que j'essuyai du revers de ma manche. Je remarquai alors qu'un tiroir, celui du bas, était légèrement entrouvert. Il y avait un vieux chandail, le sien, dont la laine s'effilochait par endroit. Un mulot préparait là sans doute son nid pour l'hiver. J'ouvris les autres tiroirs pour voir s'il n'était pas quelque part dans les lainages. Dans le tiroir du milieu, il y avait des chemises en désordre. J'allais les sortir pour les plier correctement lorsque j'aperçus sur une feuille de papier et sous cette feuille des centaines d'autres pages couvertes de la même écriture.

Qu'était-ce donc? Je m'empressai de lire les premières lignes et, après avoir feuilleté au hasard les pages, je pus me rendre compte plus exactement de quoi il s'agissait: de souvenirs de guerre! Et voilà que sa présence ici s'expliquait tout à coup. S'il était venu chercher la solitude, c'était pour écrire ses mémoires, mais ces souvenirs semblaient avoir été jetés en vrac. Rien n'était dit sur son père, sur sa mère, sur sa ville natale et j'avais beau chercher, rien n'expliquait non plus la fin inattendue de ce bref roman d'amour que j'avais vécu, car la rédaction du manuscrit avait été interrompue. Avant ou après mon arrivée? Il était plus probable que ce fut après. Les chapitres étaient sans date. Heureusement que les pages, elles, étaient numérotées, car elles n'étaient pas en ordre et je mis un certain temps à tout remettre en ordre. Puis, j'allai m'asseoir sur le lit, près de la fenêtre qui donnait encore un peu de lumière pour lire. J'admirai d'abord son écriture, petite, serrée, avec des ratures, ici et là, mais si opaques qu'il était impossible de lire ce qui avait été écrit à l'origine. Il y avait beaucoup d'annotations en marge, de parenthèses, de mots soulignés comme autant de rappels ou d'idées à élaborer plus loin dans le récit qui débutait, au plus vif du souvenir, dans un petit village frontalier de la jungle et dont il faisait la description. Le glossaire des moustiques de la jungle était assez exhaustif. Il faisait mention, par exemple, des filaires qui sont des vers parasites qui vivent sous la peau et dans les tissus conjonctifs. Il y avait même une maladie qui s'appelait la filarose et qui se transmettait par l'intermédiaire des moustiques, mais tout ceci me paraissait superflu, gênant dans le texte, que j'ai lu pourtant avec une attention accrue. Au haut de certaines pages, il avait dessiné un grand S, ce S en forme de dragon, au nord de l'équateur qu'est le Viêt-nam et je revis alors le dragon qui brillait sur son bras dans la pénombre de la chambre, gardien de quelque secret ou de l'abandon auquel sa mémoire avait cédé et dont chacune des pages semblait combler le vide... Qu'était-il venu chercher ou fuir ici? De qui, de quoi avait-il voulu se cacher? Mes mains tremblaient en tournant les pages tandis qu'il évoquait l'Orient et les vestiges d'une civilisation disparue, les opulentes cités qui émaillaient autrefois le delta du Mékong et l'époque des moines bouddhistes, des princes indiens qui débarquaient dans les ports de Chine. Certains passages étaient d'une précision remarquable. Plusieurs fois, je relus sa description des broches romaines sassanides, exhumées en l'an 939 de notre ère, puis de très beaux passages sur la lumière du Tonkin, sur le fleuve Rouge, les rues de Saïgon et la couleur verte des rizières et les vastes hauteurs que survolaient des avions, montagnes ne montrant signe de vie nulle part et l'on suivait du regard ces avions, au-dessus des pagodes abandonnées, à toit de tuiles moussues, avions qui prenaient des formes curieuses, bananes volantes, hueys à taille de guêpe, à tête bulbeuse, aux rotors dressés comme des antennes, et qui glissaient dans le ciel, traversaient le paysage surréel qu'il décrivait, pays de mousson, de hauts plateaux où il crachinait, où il faisait froid l'hiver, pluie, longue, diluvienne, sans fin... Balles traçantes dans la nuit... Avions qui lançaient des fusées blanches dans la nuit. Je lisais un peu au hasard, en diagonale, surprise de la présence de tant d'avions dans ce manuscrit, de sa connaissance des différents appareils, de leur usage, de leur fonctionnement. C'était à croire qu'il avait déjà piloté un avion. Je tournai rapidement les pages, bien que mes doigts fussent engourdis par le froid, pressée d'en savoir plus long sur cet homme dont, je m'en rendais compte maintenant, je ne savais rien ou à peu près rien.

Le froid dans la chambre devint si vif et la lumière si sombre que, désireuse de poursuivre ma lecture, j'allai au salon faire du feu dans la cheminée. Le coffre à bois contenait plusieurs bûches, des fagots, des aiguilles de pin. Il y avait du papier journal dans une corbeille et les allumettes étaient restées sur l'appui de la cheminée. Sitôt le feu allumé dans l'âtre, je rapprochai le fauteuil dans lequel j'avais pris place de l'éclairage que dispensaient les flammes et j'ouvris le manuscrit, au hasard encore une fois, cherchant les passages susceptibles de retenir le plus mon attention. Les derniers mots de la fin peut-être? Ils n'indiquaient pas pourquoi la rédaction du manuscrit avait été interrompue, seulement je remarquai, à l'écriture devenue presque illisible, que celle-ci était soudain rendue difficile et que certains espaces avaient été laissés en blanc. Une chose était certaine, c'est que, pendant mon séjour dans la maison, il n'avait pas écrit une seule ligne. Cependant, il était impossible de savoir à quel moment il s'était arrêté d'écrire car aucune des pages n'était datée. Le début aurait pu être la fin puisque le lecteur se retrouvait, au moment où le récit s'interrompait, dans le même petit village frontalier de la jungle où il avait vécu, écrivait-il, en compagnie de paysans vietnamiens. Ceci ne correspondait absolument pas à ce qu'il m'avait dit: qu'il avait fait partie du premier débarquement des Marines à Danang, en 1965. Je cherchai cette date dans le manuscrit et, tout en feuilletant les pages, il y en a une qui retint mon attention. Il s'agissait d'une mission qui avait eu lieu au Laos. Or, il ne m'avait jamais dit qu'il était allé au Laos. Je tentais de déchiffrer les premières pages de ce passage, abondantes en sigles et en abréviations dont je ne connaissais pas la signification. Qu'était-ce que le PFC, et les SOG, les SFG, les NCO et le PEO à Vientiane? Il était également question de la neutralité territoriale du Laos, violée de part et d'autre par les Américains, les Russes et les communistes vietnamiens. C'est par le Laos et le Cambodge que se faisaient les infiltrations d'hommes et de ravitaillement vers le sud. La piste Hô Chi Minh servait de couloir à cet effet, lacis de sentiers tracés à travers la jungle, cible de fréquents bombardements par les Américains et dont il avait fait, écrivait-il, des relevés en avion le long des frontières laotiennes et cambodgiennes. Il était donc pilote? Les pages suivantes me plongèrent dans la perplexité la plus profonde. Les systèmes de radar dont il parlait étaient des instruments si complexes qu'il m'était impossible de les visualiser, de comprendre comment fonctionnait une caméra infrarouge ni comment on orientait un appareil soit pour mieux détecter un ennemi, soit pour l'éviter. Il décrivait les différentes manettes de contrôle qui permettaient d'amorcer un plongeon dans l'espace ou de ralentir un écrasement au sol lorsque le moteur faisait défaut et comment on poussait le manche à bloc sur l'avant, on tirait les manettes de gaz pour piquer sur un objectif. Tout ceci se passait à l'intérieur des lignes ennemies au Laos!

Était-ce une histoire vraie? L'avion soudain en panne dans l'espace... Les manœuvres de secours pour tenter de mener à destination l'avion , d'atterrir avec le moins de dommage possible, puis finalement l'éjection hors de l'appareil, le parachute qui s'ouvre au-dessus de la jungle que traverse une rivière aux eaux tumultueuses dans laquelle l'avion finit par s'enfoncer. Une fois rendu au sol, il cherchait son copilote, entendait des bruits de voix. Dissimulé dans les feuillages, il réussissait à dégager son parachute des branches, coupait les fils, ramenait autour de lui ce qui restait de la toile alors qu'à demi plongé dans la boue d'un marécage, il retenait son souffle... Les voix étaient toutes proches. Elles s'adressaient à quelqu'un. Son copilote venait d'être capturé par les Viêt-congs qui l'interrogeaient tout en le ruant de coups avec la crosse de leur fusil. L'homme finissait par s'évanouir et on l'emportait sur une civière.

Il avait réussi à retenir son souffle, plusieurs fois, dans le marécage où il était venu bien près de se noyer. Le soir tombait. Il se retrouvait seul au milieu de la jungle. Trois jours et trois nuits passaient sans qu'aucun avion de reconnaissance américain vienne sillonner le ciel. Il se nourrissait de racines, de feuilles, de vers, de plantes aquatiques. C'est au petit matin du quatrième jour suivant l'écrasement de son appareil qu'il était repéré par un avion de sauvetage américain, un de ces petits U-2 qui étaient souvent tombés au-dessus du Laos au cours de missions semblables. Je me souvenais d'avoir lu cela dans les livres et je m'empressai de monter au grenier, décidée à ouvrir le coffre, car là se trouvaient les listes des hommes faits prisonniers ou disparus en cours d'action. Si le nom du pilote qu'il mentionnait s'y trouvait, c'est donc qu'il ne s'agissait pas d'un roman.

Une fois rendue là-haut, je tentai de forcer la serrure du coffre puis je me ravisai et me servis plutôt de la tige métallique d'un cintre que j'allai chercher dans le placard de la chambre et que je fis tourner plusieurs fois, dans la serrure, jusqu'à ce que celle-ci cède enfin. J'ouvrai le coffre. La liste était là et je vérifiai fébrilement tous les noms sur la liste des hommes faits prisonniers. Celui qui était mentionné dans le manuscrit n'y figurait pas. Je cherchai sur la liste des disparus en cours d'action. Le nom, là non plus, n'y était pas. Je cherchai , à tout hasard, sur une dernière liste, à laquelle je n'avais jamais prêté beaucoup attention, celle des tués en cours d'action.

J'aperçus enfin le nom que je cherchais! Au premier abord, je n'en crus pas mes yeux: tué en cours d'action, sépulture inconnue, spécifiait-on. Les hommes que l'on classifiait ainsi étaient ceux dont les avions avaient explosé dans les airs ou étaient tombés au fond des eaux. Or, s'il fallait en croire l'auteur du manuscrit (je commençais à douter sérieusement de l'identité de l'auteur), cet homme avait été capturé. Y avait-il erreur sur la liste?

Je ne savais plus si je devais continuer la lecture de ce manuscrit. Saisie de scrupules à l'idée que je violais ce qu'il y avait de plus sacré chez un individu, son être intime, cette part d'ombre qui est la nôtre, car il n'existe pas de solitude qui ne soit hantée. Combien de souvenirs avait-il été impatient de repasser dans sa mémoire, à l'abri de tout regard? Je fus sur le point de renoncer à en savoir davantage, mais je ne pus me lever de mon fauteuil ni chasser les soupçons qui commençaient à m'assaillir. Il me fallait absolument trouver une explication à l'énigme qu'était devenu l'auteur et je recommençai ma lecture, au début, dans l'espoir de trouver un passage qui pouvait me révéler son identité réelle et, tout à coup, je tombai sur un chapitre qui jeta une lumière entièrement nouvelle sur le récit.

Il était entré dans les forces spéciales en 1959. Cette branche de l'armée américaine était mieux connue sous le nom de *Green Berets*. Ceux-ci, bien qu'intégrés aux forces armées américaines, dépendaient étroitement de la CIA. Leurs activités, dont beaucoup étaient clandestines, étaient surtout considérées comme des activités paramilitaires. On avait confié aux *Green Berets* plusieurs programmes de pacification au Viêt-nam, programmes d'assistance militaire et économique, programmes ruraux de développement et d'action civique où ils travaillaient en coopération avec les communautés locales. Les forces spéciales avaient été présentes au Viêt-nam dès le début de la guerre.

Il avait vécu dans un village, aidé les paysans à travailler le sol, à construire des habitations, à assainir l'eau, à lutter contre le terrorisme viêt-cong. Bien qu'ils aient souvent eu à affronter l'ennemi et à faire usage d'armes, les membres des forces spéciales n'étaient pas particulièrement des combattants. Une trentaine de pages résumaient leurs activités, celles d'ordre psychologique entre autres visant à informer les populations contre les dangers du communisme et que l'on combinait avec un certain nombre d'activités clandestines telles que le sabotage, le harcèlement léger auxquels on avait recours dans les conflits dits d'intensité limitée comme au tout début de l'infiltration communiste au Viêt-nam du Sud. Les *Green Berets* n'étaient jamais engagés dans de lourds combats. Ils travaillaient habituellement par petites unités isolées des pistes de secours et à la merci d'attaques terroristes, de tirs sporadiques, d'embuscades.

Tout en lisant, je m'interrogeai sur les raisons qui l'avaient poussé à m'induire en erreur. Peut-être devait-il demeurer fidèle à une sorte de code du silence? Mais quel silence devait être ici respecté? Ou avait-il trahi, rédigé un faux rapport de l'accident? Comment savoir? Où me renseigner? La rivière n'était pas nommée ni le type d'avion qu'il pilotait, comme s'il avait eu des réticences, à ce moment du récit, à se livrer, même sur le papier. Tout cela se passait quelque part au Laos. Trois jours s'écoulaient avant qu'on ne le trouve à cet endroit de la rivière où tombait, d'un haut rocher, d'immenses chutes d'eau. Et partout, les mêmes rochers, impossibles à escalader, qui coupaient la jungle en deux, et au-delà desquels la forêt s'étendait, plus dense que jamais, infestée de moustiques et de serpents aux espèces innombrables. Voyant qu'il ne pouvait avancer plus loin, il s'arrêtait et c'est alors qu'il apercevait, suspendu aux petites branches épineuses des buissons, un papillon, énorme, disait-il, et qui semblait repu de toute la sève et de toute la pourriture dont s'abreuvaient la multitude des plantes et des moustiques de la jungle. Il décrivait les yeux, les mandibules, le corps velu et noir puis les couleurs presque trop vives de la robe, des ailes ouvertes dans un mince filet de lumière qui tombait des cimes enchevêtrées des arbres. Il n'osait s'en approcher, craignant quelque espèce rare et monstrueuse. Puis, le papillon s'éloignait, lentement, se mettait à voler à travers les méandres et les dédales invisibles dont se composait sa route comme le papillon de la gare lorsque je l'avais suivi. Seulement, il ne pouvait s'agir du même papillon. Celui-ci, tel qu'il était décrit, était effrayant. Il était happé finalement par le brouillard des eaux de la rivière comme le souvenir du soldat abandonné à l'inconnu de son sort et quoi de moins scénique que cet inconnu dont nul ne sait ce qu'il recèle, car il ne s'agissait pas cette fois d'une de ces destinées auxquelles on ne pouvait réfléchir sans aboutir à l'impuissance et à l'abstraction. La preuve de l'abandon, dans le manuscrit, était évidente. Un homme avait peut-être été bel et bien abandonné ou sacrifié au code du silence. Et quel poids que celui d'une vie rayée de tout registre des vivants, pour qui s'était fait complice du silence et de l'ombre. Pendant que les bombes et les défoliants broyaient le pays, des guerriers menaient des opérations clandestines, en dehors de toute juridiction militaire, internationale ou autre, combattants de l'ombre qui participaient à ce qu'il appelait des *black operations,* dossiers noirs sur lesquels on avait apposé les scellés.

Il n'existe pas de liste d'hommes perdus au cours d'activités clandestines. Ces derniers sont automatiquement déclarés tués en cours d'action. Je devais apprendre, par la suite, que lors de la découverte par le Pathet-Lao du site 85 qui était un poste de communication secret de l'aviation américaine situé au Laos dans la province de Sam Neua, tous les militaires perdus furent portés morts. Jusqu'à ce jour, les activités de ce théâtre d'opérations militaires sont demeurées en partie classifiées. Le site sitôt découvert par le Pathet-Lao fut immédiatement détruit par la CIA et ce n'est qu'en 1978 que des documents déclassifiés ont révélé que trois militaires présumés morts avaient en réalité été faits prisonniers, ce qui était peut-être le cas du copilote. Qu'était-il advenu de celui-ci? On ne pouvait qu'envisager le pire. Et encore, ce pire devenait inimaginable. Encore une fois, la distance décolorait tout, ravalait jusqu'au silence qui s'était refermé sur cet homme sans visage et qui, pourtant, avait un nom.

Je demeurai quelque temps assise sur le lit, dans la chambre, hésitante à remettre le manuscrit dans le tiroir, mais me sentant aussi un peu coupable de savoir quelque chose que je n'étais pas censée savoir. Je cherchai, une dernière fois, un passage qui pourrait dissiper l'ambiguïté au cœur du récit ou qui me révélerait, du moins, le secret des origines de l'auteur. Était-il même né au Texas? Il ne semblait pas avoir d'autre expérience de la vie que celle qui s'était enracinée dans le sol vietnamien, dans l'âme de ses vivants, de ses morts comme si le Viêt-nam était devenu son unique mémoire et sans cesse il rappelait les sources des maux qu'il était allé combattre: la pauvreté, les logements insalubres, le manque de denrées essentielles, de chaussures, de transport scolaire, l'analphabétisme d'une population qui avait eu à souffrir longtemps des préjugés raciaux des envahisseurs et des colonisateurs et devenue, par conséquent, xénophobe... Au fur et à mesure du récit, la guerre s'étendait, du Viêt-nam au Laos et au Cambodge par où passait la piste Hô Chi Minh et tous les renforts nécessaires pour soutenir les forces révolutionnaires du Viêt-nam du Nord. C'est là qu'opéraient dans l'illégalité les (*Special Operations Group*) hommes qui ne portaient ni papiers ni plaques d'identité, voués sans doute à l'oubli si, par malheur, ils étaient capturés... Ainsi le récit aboutissait à cette impasse, à ce moment où le papillon surgissait comme un signe funeste marquant la route des morts, des disparus; ou s'arrêtait, à ce jour, où il m'avait surprise dans le bosquet et avait décidé d'interrompre la rédaction du manuscrit.

Au moment de quitter la maison, je songeai à ce soldat abandonné aux mains de l'ennemi, à ce secret qu'il me faudrait désormais garder pour moi et je refermai doucement la porte. Je me rendis compte alors que j'avais omis de vérifier si sa voiture était toujours dans le hangar tellement j'étais certaine qu'il était revenu puis reparti. Elle s'y trouvait toujours. J'aurais préféré qu'elle n'y soit pas. C'est donc qu'il allait revenir? Ou quoi alors? Je ne savais que penser de ce qui me paraissait étrange, inexplicable. Il neigeait dehors et bientôt, du moins s'il continuait à neiger ainsi, l'accès à la maison serait coupé. Sans plus m'interroger, je me hâtai de regagner ma voiture avant que la route ne s'enneige complètement.

13

Je commençai à découper, durant mes temps libres au bureau, des articles dans les journaux, à la page des faits divers, et qui n'occupaient guère plus d'espace que la rubrique des chats, des chiens perdus. On y parlait des hommes abandonnés dans le Sud-Est asiatique après la guerre du Viêt-nam, de conspiration du silence, de dissimulation communiste. C'est exactement ce que j'avais lu dans les livres au grenier. On ne disposait pas de preuves suffisantes pour étayer ces affirmations, que des témoignages, des rumeurs qu'alimentaient de forts soupçons. Un article faisait mention de prisonniers que l'on trafiquait de la Chine jusqu'en Sibérie et d'esclavage pratiqué sur une haute échelle. Certains cas de remise en liberté venaient corroborer la thèse que des hommes pouvaient encore être détenus dans le système des prisons communistes sans que leur nom n'apparaisse jamais sur les registres. Par exemple, en 1989, une femme déclarée morte par les Russes était libérée d'un camp de concentration en Russie après vingt-cinq ans de détention. En 1989 également, cinquante Coréens étaient libérés de l'île de Sakkalin où ils étaient détenus depuis la Seconde Guerre mondiale. La Croix-Rouge internationale possédait dans ses archives à Genève les noms de centaines de milliers de gens disparus mystérieusement dans les pays où les geôles sont les plus fermées au monde.

Mais les prisons commençaient à se vider en URSS. Grâce à la «perestroïka», plusieurs prisonniers politiques étaient relâchés. Un nommé Igor Fedotkin était mentionné comme étant le dernier parmi ceux-là.

Pourrait-on jamais établir le nombre de tous ceux qui étaient disparus dans le Goulag?

À Magadan où est situé le plus sinistre des camps de la mort soviétiques, maintenant fermé, il existe une Société pour le Memorial des victimes du communisme et dont le but est de retracer les filières sur les morts, les disparus, de mettre un nom sur des individus désignés uniquement par un numéro dans les registres des prisons.

Le manuscrit avait déjà soulevé tant de questions qui demeuraient sans réponse que je craignais de me perdre dans des recherches infinies sur les disparus, mais certains passages étaient trop clairs pour que je ne persiste pas à présumer le pire: que ma première impression avait été la bonne, qu'il était un fugitif recherché par la police, la police militaire ou des agents de la CIA, qu'il était coupable d'un crime qui n'était pas assez explicite dans le manuscrit dont il avait peut-être interrompu la rédaction juste avant de passer aux aveux les plus graves.

Je me demandai, à la fin, s'il n'y avait pas une explication plus simple, quoique guère plus rassurante, à sa disparition, s'il ne s'était pas absenté pour un court laps de temps avec ces hommes pour leur montrer jusqu'où s'étendait la propriété, s'ils ne s'étaient pas rendus jusqu'à cette partie de la forêt qui descendait à pic vers la rivière où il possédait, là, quelques arpents de terre riveraine. La courbe de la route à cet endroit était dangereuse et le chemin plus étroit, de sorte qu'il fallait ralentir, car il suffisait d'une minute d'inattention pour que la voiture n'aille percuter dans le ravin.

Je retournai à la maison. Heureusement, la route en ce tout début de novembre ne restait jamais longtemps enneigée. Je refis plusieurs fois le trajet à pied le long du chemin qui menait à la courbe et je regardai en bas. D'innombrables buissons de branches épaisses et enchevêtrées croissaient tout le long des pentes où la voiture aurait pu basculer pour finalement tomber dans la rivière dont le lit était plus profond là qu'ailleurs, mais on ne pouvait sans grand risque y descendre. De plus, le jour à ce temps de l'année était si sombre qu'on ne voyait rien, rien qui pût indiquer qu'un accident avait eu lieu. J'examinai les ravins, les fossés et les pentes les plus escarpées ou plutôt j'en fouillai les ombres à travers les verres grossissants de mes lunettes, mais la rivière était en partie masquée par les broussailles déjà givrées et, bien que la forêt fût dénudée, les dénivellations de terrain, les éboulis et les branches serrées des taillis, des buissons bloquaient la vue et décourageaient toute incursion dans ces gouffres où l'on ne pouvait que tomber pour rouler jusqu'au fond de l'eau.

Je revins à Montréal, pas tout à fait convaincue de cette mort accidentelle. Aurait-il fermé à clé si c'était pour ne s'absenter que brièvement? À moins qu'il n'ait cherché à faire croire à ces visiteurs qui s'étaient déjà trop attardés qu'il avait affaire ailleurs, que, sitôt revenu à la maison, il devrait repartir, dans sa voiture, et aussitôt que possible. À vrai dire, toutes ces explications me paraissaient un peu tirées par les cheveux. Je cherchais surtout à chasser de mon esprit cette possibilité: qu'il soit mort, mort dont il me semblait être vaguement complice, à cause du secret que m'avait livré le manuscrit, secret qui m'interdisait presque d'alerter qui que ce soit, mais le spectacle de l'abandon ne s'effaça pas de mes yeux et je voulus même pousser la curiosité plus loin.

14

Il y a un petit Memorial à New York, au sud-ouest de la ville, là où Manhattan s'arrondit pour former une péninsule. On y a vue sur le port. D'un côté, la rivière Hudson, de l'autre l'East River et les docks, les quais de Brooklyn. À la pointe de la péninsule, les deux rivières convergent pour se jeter dans l'océan. Un traversier part toutes les heures pour Staten Island où il y a des collines, des forêts, de belles plages de sable, un zoo de reptiles et un musée militaire. De l'embarcadère, on aperçoit Ellis Island, Governor's Island et la plus célèbre des trois, Liberty Island où s'élève sur les ruines d'un vieux fort bâti en 1811 la statue de la Liberté. Un escalier en colimaçon mène jusqu'à sa tête dont la couronne est percée de fenêtres à travers lesquelles on peut admirer le flambeau qu'elle brandit et, au loin, New York et ses environs.

Le trajet Montréal-New York en voiture peut se faire en moins de huit heures. On n'a qu'à filer tout droit sur l'autoroute 87. Quand j'y allais avec mes parents pour visiter mes oncles et mes cousins d'Amérique, il fallait passer par de nombreuses petites villes dont la moins attrayante était certainement, du moins à l'époque, Albany, avec ses cheminées crachant la fumée, ses briques noircies de suie, ville bétonnée et sans jardins, sans parcs le long du parcours que nous empruntions et où nous nous arrêtions parfois pour déjeuner. L'autoroute 87 traverse les Adirondaks et les Catskills, superbes montagnes, en grande partie inhabitées. Il y a de nombreuses aires de repos où l'on peut faire halte pour pique-niquer ou se promener. Comme il faisait beau ce samedi-là, je fis plusieurs arrêts en cours de route comme si je voulais retarder le moment où il me faudrait trouver mon chemin dans la grande ville de New York dont la réputation de jungle urbaine m'effrayait un peu.

La nuit tombait lorsque j'arrivai, sans difficultés, à mon hôtel, et la ville s'allumait déjà de mille lumières qui tremblaient comme des étoiles dans le crépuscule.

Je demeurai longuement pensive à la fenêtre de ma chambre avant de m'endormir. Tout en regardant les lointains miroitants de la ville, je songeais à cette voix coupée de l'Amérique qu'était le manuscrit, aux étranges aveux qu'il contenait, à l'histoire vécue qu'il racontait et dont je ne doutais plus. C'est pourquoi il me fallait assister à cette célébration en mémoire de ceux qui ne sont jamais revenus de la guerre du Viêt-nam, voir le petit Memorial de New York. Le grand Memorial se trouve à Washington. C'est trop loin... Quatre heures de plus, au moins... On connaît peu celui de New York. On y tient souvent des vigiles et il paraît que c'est un spectacle émouvant que d'assister aux chants, aux prières qui ont lieu à la lumière de centaines de bougies allumées, à l'aube, face à la rivière Hudson et auxquels fait écho le cri des mouettes qui volent autour du Memorial.

Le lendemain, dimanche, les rues étaient vides.

○

Au pied du Memorial, point d'écho autre que ce vide. Ce sont les mêmes ombres que je n'arrive pas à toucher.

Il n'y a presque rien d'écrit sur le mur, que deux ou trois extraits de lettres de soldats qui ne sont jamais revenus de la guerre et un passage d'un poème écrit par un major de l'armée américaine, deux mois avant sa disparition au Viêt-nam, le 24 mars 1970.

Le mur s'allume la nuit. Il est tout en verre et couleur d'algue et de fougère, selon la lumière du jour. Il est érigé sur une vaste esplanade que hantent les mouettes de l'East River et dont on peut entendre les cris désolés, à l'aube, quand il n'y a personne.

Le poème du major ne parle pas du sang versé ni de la pâleur de la mort mais du tourbillon de poussière qui recouvre la mémoire des héros qui ont donné leur vie pour la patrie et des disparus dont la sépulture est inconnue. Sur ces morts incertaines, des milliers de mains se sont posées comme des colombes, et des milliers de regards ont interrogé le mystère enclos dans l'océan du mur.

Mur-rempart où la neige du temps s'est accumulée en couche épaisse comme une patine sur un pays devenu fantôme. On aboutit là, comme dans le manuscrit, à une impasse. L'histoire de ces hommes qu'on n'a jamais retrouvés se confond avec celle des pirates, des flibustiers, des trafiquants d'esclaves, des marins perdus en haute mer et dévorés par les cachalots.

Au-delà du mur, que la rivière, que les mouettes et, parfois, un bateau qui passe...

○

Le quartier du Memorial est un quartier historique. Le long des jetées de l'East River sont amarrés d'anciens *Shooners*, des bateaux-phares vieux d'un siècle. Le navigateur Verrazzano y accosta en 1524, dix ans avant que Jacques Cartier ne plante une croix à Gaspé. Sa statue se dresse dans un parc ainsi que celle de la poétesse Emma Lazarus. Le East Coast Memorial à la mémoire des soldats morts durant la Seconde Guerre mondiale n'est pas loin.

La foule était déjà nombreuse lorsque j'arrivai.

À midi, un défilé de 3000 motocyclistes passa dans la rue du Memorial. Il y eut de la musique, des battements de tambour, des discours patriotiques.

Des policiers en civil circulaient parmi la foule d'hommes et de femmes en costumes bigarrés: vestes à franges et à écussons, jeans déchirés, chapeaux de cowboy, bottes à garnitures nickelées, colliers de coquillages... Il y avait des motards à cheveux longs et des enfants vêtus de noir et de blanc, couleurs du drapeau des prisonniers de guerre.

On vendait des frites, des hamburgers, du Coca-Cola dans la rue. Sur les trottoirs et sur l'esplanade, des vétérans de la guerre du Viêt-nam paradaient en tenue de camouflage, avec des drapeaux. Des drapeaux, il y en avait de toutes les couleurs, drapeaux américain, canadien, australien, de la Thaïlande, des Philippines et même du Viêt-nam d'avant la révolution. L'esplanade en était pavoisée. On en vendait dans des coffrets triangulaires, de noyer, d'acajou, dans des étuis de bois précieux, à ferrure de laiton, et dont la forme ressemble à celle des petites harpes du XIIe siècle dont les bardes et les griots celtiques s'accompagnaient pour chanter les vertus et les exploits des seigneurs. Les drapeaux flottaient dans le vent... Les drapeaux battaient des ailes comme les mouettes qui planaient au-dessus des vagues.

Tandis que je me mêlai à la foule, l'esplanade se para de toutes les nuances des eaux profondes de l'Orient. Sur les bras nus des motards, les tatouages brillaient comme des vitraux: serpents, dragons, curieux reptiles, têtes de gorgones, poissons des mers du Sud qui se cramponnaient au rocher des poitrines, ailes déployées, griffes, serres d'un monde guerrier où se déroulent des luttes incessantes. On aurait dit aussi des bijoux, des parures sculptées par la mer. Et il y avait des petits violons, des petits cœurs, des devises patriotiques et le mot «Nam» comme le nom d'une femme aimée qui a beaucoup fait souffrir et dont le souvenir est à jamais gravé dans la chair.

L'orchestre se mit à jouer et une musique tantôt douce tantôt grossièrement syncopée enveloppa la foule. Tout alors éclata, vibra sur le podium: chansons des années soixante, années des hippies du *make love not war,* années de l'acid rock et où la popularité de Janis Joplin atteignait son apogée avec l'inoubliable Bobby McGee. Sur l'esplanade, on se souvenait des ballades western que les stations de radio américaines au Viêt-nam du Sud diffusaient au tout début du conflit avec le Nord ainsi que du *Vietnam blues* qui s'échappa des lèvres de la chanteuse comme un baiser d'une bouche endormie. La chanson me surprit dans mon propos secret au pied du mur. Une autre mélodie vint s'y greffer, douce, feutrée, un passage de *Für Elise,* le premier morceau de Beethoven que j'ai appris au piano quand j'avais dix ans. La voix glissait sur les mots comme mes doigts sur le clavier dont il fallait cueillir les notes le plus doucement possible... Bientôt la chanson fit place aux passages les plus effervescents de l'orchestre, au martèlement d'instruments agressant l'oreille, à des musiques sauvages et saugrenues, exprimant l'horreur du son pur... Et les corps dans la foule se mirent à se balancer au rythme de la musique...

Au bas de l'esplanade: une cage à tigres. Elle avait été retirée du char qui précédait le défilé des motards. Sinistre geôle où certains y perdirent le peu de raison qu'il leur restait...

Le fleuve était lisse comme un miroir...

Il y eut des chansons-énigmes et des chansons-apothéoses et des chansons vagues comme l'amour lorsqu'il n'est plus qu'un nom sur le mur du souvenir. Il y eut des rythmes chauds et des *blues* que les Noirs improvisaient sans doute autrefois au banjo, à la mandoline, sur les bateaux de rivière ou sur les bateaux à vapeur du Mississippi.

La foule exultait. Nous étions tous frères et sœurs ce jour-là et, pour un instant du moins, j'oubliai la division, la guerre, la haine entre les hommes. Musique où plus rien n'était écrit en noir et blanc, née du mélange des cultures, de l'alchimie des timbres. Oh, comme j'avais le goût de ces chansons qui répondent à l'élan du cœur, de l'âme, et que la musique transposait dans des formes si libres qu'on avait l'impression de franchir tous les murs.

La fête dura jusqu'au soir, jusqu'à une dernière ballade à l'heure où le mur prit une couleur perlée dans la lumière déclinante.

«Je veux vivre un peu avant de mourir...»

C'est un peu ce qu'il me disait parfois.

Un grand paquebot gris et blanc passa sur le fleuve et les mouettes se mirent à voler dans son sillage, flux et reflux d'ailes blanches à l'horizon ainsi que les longues pointes d'un oriflamme. Puis ce fut le silence sur le podium. La foule se dispersa et l'esplanade se vida. Les mouettes firent alors une apparition souveraine sur la place déserte. Par centaines, elles occupèrent l'espace autour du Memorial. Quelques-unes allèrent se percher sur la cage à tigres que l'on s'apprêtait à remettre sur le dessus du char, et elles semblaient interroger un joug dont elles, si libres, s'étaient affranchies, ou ce vide à l'intérieur qui demeurait sans réponse.

Quand la foule eut déserté l'esplanade, je regardai les dernières traces de bleu se diluer dans le ciel et, dans le silence immense de la nuit, j'écoutai le vent se lever tandis que les lourds feuillages de la nuit se refermaient sur le Memorial et sur l'effroyable monde de la guerre dont le rêve même ne sépare pas des morts.

Tout à coup, le Memorial s'illumina et j'aperçus alors un homme assis au pied du mur et que l'obscurité ne m'avait pas permis de distinguer auparavant. Il se parlait à lui tout seul, à voix basse. Il était vêtu de haillons et il portait un bonnet de laine sur la tête. Je remarquai qu'il avait la peau noire. Je m'approchai. Au bout d'un moment, il me vit, mais ne fit pas attention à moi. Je crus comprendre qu'il pestait contre cette sale guerre du Viêtnam et qu'il avait été, là-bas, rat de tunnel. Je me souvenais d'avoir lu quelque chose sur les tunnels creusés par les Viêt-congs, qui s'étendaient sur des centaines de kilomètres dans la jungle vietnamienne, de cette guerre de l'ombre menée par les maquisards communistes, et des rats de tunnel à qui l'on avait confié des missions de recherche et de destruction au cœur de ces vastes cités souterraines où une détonation subite pouvait causer soit la mort, soit la surdité. L'homme, au pied du Memorial, se rendit sans doute compte que je l'écoutais, car il baissa la voix, soudain irrité par ma présence. Lorsque je lui demandai son nom, il me répondit que c'était sans importance, qu'il était sans abri, donc sans domicile autre que cette place réservée au pied du Memorial où il dormait, la nuit. «Et l'hiver, quand il fait froid?» demandai-je, tandis que le vent se levait, soufflait sur l'esplanade, noyant parfois le bruit de nos voix. Il me dit qu'il couchait au rez-de-chaussée d'un entrepôt qui se trouvait, non loin de là, et dont le veilleur de nuit lui ouvrait les portes. Il dormait dans une petite pièce à débarras où des bâches entassées lui servaient de grabat et que ce repos de fortune, en dehors de ses souvenirs de guerre, serait le seul souvenir qu'il emporterait avec lui dans l'autre monde. Son enfance, le quartier noir où il avait sans doute grandi avant d'être appelé sous les drapeaux, n'était-elle que des pays chimériques dans sa mémoire? Est-ce que seul le Viêt-nam survivait en lui, comme les noms gravés sur le Memorial et qui, dans l'incandescence de la lumière qui illuminait l'esplanade, activait le feu de son imagination, favorisant d'obsédants retours dans les tunnels où il avait failli mourir, un jour, disait-il, et où d'autres avaient tout simplement disparu.

Les journaux américains venaient de publier, la veille, la photo d'un disparu entrevu dans quelque coin perdu de la jungle laotienne et dont, après enquête, on avait à nouveau perdu la trace, de sorte qu'on ne savait plus quelle fable était le pont qui menait à la vérité. Certaines photos étaient apparemment truquées, retouchées, et présentaient des ressemblances frappantes avec des hommes portés disparus. Chaque fois, l'espoir renaissait dans le cœur de ceux qui attendaient qu'«ils reviennent». Ce furent les dernières paroles du rat de tunnel et c'est un peu à regret que je quittai l'esplanade, sans parler du manuscrit, sans parler de ce secret qui creusait un neigeux silence dans mon âme.

Une fois, je me retournai pour jeter un dernier coup d'œil sur le Memorial. Il me sembla entendre murmurer là, une voix sur le mur allumé, celle du soldat disparu.

«Si tu le peux
Garde leur souvenir
Au fond de ta mémoire
Et lorsque tu t'en iras

Loin d'eux
N'oublie pas de te retourner
Une dernière fois...»
Quelques strophes plus loin, il est écrit que «la guerre
est folie...»[5]

Sans ces croyances indispensables aux soldats: la foi
en Dieu, l'amour de la patrie, l'esprit de sacrifice, comment, en effet, se souvenir? Des blessés de guerre se te-
naient fièrement au garde-à-vous lors du défilé. Leur poitrine était couverte de médailles. Dans le ciel, les mouettes
mêlaient à la musique des tambours et des clairons le tendre mouvement de leurs ailes. C'était plein de fleurs au
pied du Memorial, de couronnes d'œillets, de lys et de
chrysanthèmes, alors qu'à Montréal on vendait partout
des coquelicots, emblème des anciens combattants, petite
fleur que l'on porte à la boutonnière ou que l'on épingle
à son corsage, une fois l'an, en souvenir des soldats morts
ou disparus et dont la destinée en ce monde ou dans
l'autre monde est remise entre les mains de la providence.

---

5. Major Michael Davis O'Donnel (Viêt-nam, 1er janvier 1970)
   (1.1.70 Dak To. Viêt-nam).

15

Novembre passa... Je demeurai sans nouvelles de lui de sorte que je cessai d'attendre.

Vinrent les premiers grands froids de l'hiver. Je ne me souviens pas de froid plus cruel qu'en ces semaines précédant Noël.

Les nuits étaient sans lune, sans étoiles. Je regardais la terre gelée sous ma fenêtre et les gens qui pressaient le pas dans la rue. J'écoutais le vent qui, parfois, frappait aux vitres de ma chambre, la nuit, avec une sorte de colère mêlée d'effroi. Je restais éveillée dans le noir. Ce vent, je le savais, soufflait ailleurs, dans les forêts de la Vallée de la Rouge et autour de la maison, inhabitée, abandonnée, à l'image de ceux dont on venait à douter de l'existence.

Un jour que je déjeunais dans un restaurant du centre-ville, j'aperçus Laszlo. Il vint s'asseoir à ma table. Endre, me dit-il, se trouvait chez un cousin à Timisoara, en Roumanie, lorsque la Sécuritatae avait encerclé la résidence d'un prêtre hongrois qu'on voulait déporter. Il y avait eu des combats dans les rues, premiers signes d'une révolution qui devait se propager à travers tout le pays mais qui, en fait, n'était que le premier acte d'une série de révolutions qui allaient entraîner peu à peu la dislocation des pays de l'Est.

Tous les soirs, je regardais la télévision. Les événements se précipitaient, en direct, sous nos yeux, par satellite. On voyait les foules se masser dans les rues, l'armée ouvrir le feu mais impuissante devant la poussée de l'anarchie. Ceauscescu et son épouse étaient arrêtés puis exécutés, criblés de balles haineuses. Les caméras pénétraient dans leur villa. On ouvrait les placards, on en sortait des pyjamas de soie, des fourrures, des centaines de paires de chaussures. On filmait les toiles des grands maîtres aux murs, les sols recouverts de céramique italienne, les baignoires à robinets d'or dans lesquelles Ceauscescu prenait des bains dans de l'eau minérale importée alors que, partout ailleurs, l'eau et l'électricité étaient sévèrement rationnées. On retirait des vaisseliers, des couverts somptueux, de la vaisselle d'or et d'argent. Dans une salle richement meublée trônait un piano de Buchner fabriqué à Vienne et l'on trouvait, sous clé, dans un petit meuble, toute une collection d'objets pornographiques. Même les murs de l'abri anti-atomique aménagé au sous-sol étaient entièrement couverts de marbre! Qu'était devenu Endre? Nul ne le savait.

Le mur de Berlin tomba, cet hiver-là. L'on vit en gros plan à la télévision le trou, creusé dans le mur, qui fit tomber la première pierre.

J'allais prendre le thé tous les jours avec Laszlo. Nous parlions de la fin du communisme et de la disgrâce finale du KGB. Plusieurs documents d'archives avaient été hâtivement détruits avant que leurs bureaux ne soient envahis... Si la vérité commençait peu à peu à se faire jour sur certains secrets bien gardés tels que le massacre par les russes de 4500 soldats polonais dans la forêt de Katyn et les conditions inhumaines dans lesquelles étaient détenus les marginaux en pays communistes comme les quelque 120 000 enfants abandonnés en Roumanie, bien des crimes demeureraient à jamais inconnus de nous. Laszlo évoquait les parents, les amis disparus dont les dossiers ne seraient peut-être jamais retrouvés. Parfois, il me semblait que Laszlo répétait, mot pour mot, des passages entiers des livres que j'avais trouvés dans le coffre du grenier. Je brûlais de partager mon secret mais il m'aurait fallu pour cela avoir le manuscrit en main.

○

Lorsque les premiers beaux jours d'avril firent reverdir l'herbe, je retournai à la maison pour chercher le manuscrit.

En montant l'escalier de la maison, une marche céda sous mon pas. Le bois avait pourri durant l'hiver et une odeur de remugle me prit à la gorge au moment où je pénétrai à l'intérieur. J'ouvris immédiatement les fenêtres du salon pour laisser entrer la chaleur du soleil. Partout, l'humidité filtrait à travers les parois des murs... Les boiseries étaient tachées par endroits là où l'eau avait suinté ou coulé, sans doute du toit. J'allai voir au grenier. En effet, l'eau coulait goutte à goutte à travers une lucarne, indiquant qu'il avait peut-être plu en montagne la veille. Le poids de la neige avait dû provoquer un affaissement d'une partie de la toiture, car il y avait, au plafond, d'immenses cernes noirs et l'on respirait la même odeur âcre de pourri, saisissante dès qu'on franchissait le pas de la porte. Je redescendis au rez-de-chaussée. Encore une fois, je remarquai que rien n'avait été déplacé. Le fauteuil dans lequel je m'étais assise avait gardé la forme de ma tête qui s'y était longuement appuyée. Rassurée, au premier coup d'œil du moins, que personne n'était venu durant l'hiver, j'allai à la chambre chercher le manuscrit. J'ouvris vite le tiroir où je l'avais remis. Il n'était plus là!

Je fouillai partout dans les autres tiroirs, n'arrivant pas à croire qu'il n'y était plus. Le bout de papier sur lequel j'avais noté mon numéro de téléphone, six mois auparavant, y était encore comme si le manuscrit, une fois trouvé, avait vite été emporté, car rien n'avait été dérangé à la place où je l'avais laissé, peut-être trop en évidence.

Je mis un certain temps à me rendre à l'idée que le manuscrit n'était tout simplement plus là.

Quand on ne retrouve pas un objet à sa place habituelle, il arrive qu'on se mette à douter de soi-même. Je continuai donc à chercher partout ailleurs, dans les placards, sous les coussins des fauteuils et même sous le lit, à espérer contre toute espérance car, il n'y avait pas de doute, j'avais bel et bien laissé le manuscrit dans le deuxième tiroir de la commode, maintenant vide.

Alors, je m'en voulus amèrement de ne pas avoir pris le manuscrit lorsque j'en avais eu l'occasion. Ah, si la maison avait pu parler! Mais elle se tenait muette dans l'ombre, gardienne à son tour d'un secret qu'elle était impuissante à me dévoiler. Qui était venu? Était-ce lui? Ou quelqu'un d'autre? Comme si elle cherchait à parler, la maison gémit tout bas dans le silence puis se tut ainsi qu'une âme silencieuse et résignée, et le cri du geai fit aussitôt écho à son incommunicable plainte. On aurait dit qu'ils se lamentaient du silence dans lequel ils étaient tenus, uniques témoins de ce qui s'était passé.

Ah, qui me croirait maintenant depuis que les preuves avaient disparu? Sans ce précieux témoignage qu'était le manuscrit, tout redevenait lettre morte ou n'était plus que ouï-dire!

«J'aurais pu au moins sauver le manuscrit», m'écriai-je, furieuse d'avoir à ce point manqué de jugement.

Tous les souvenirs de l'été se réveillèrent alors, mais soudain muets comme la maison où je n'avais plus affaire. Sans plus m'attarder, je m'enfuis, évitant de prendre la route pour regagner ma voiture, de passer où que ce soit, à découvert, dans ce lieu où il n'était pas vrai qu'il n'y eût jamais personne. Je passai par le sentier qui menait à la gare, mais sans chercher cette fois le papillon. La terre était toute détrempée par la neige qui avait fondu là plus tôt qu'ailleurs et où l'eau s'était accumulée dans cette espèce de cuve que formait la vallée. Seuls quelques petits oiseaux voltigeaient autour du vieux wagon avec leur bec chargé de brindilles. Le banc où nous nous étions si souvent assis pour attendre le papillon semblait rappeler avec une sorte de regret inutile un convoi qui ne passerait jamais plus ou une attente vaine sur le quai désert et tout encombré de pousses vertes, de fleurs prêtes à éclore et que viendraient bientôt butiner les papillons. Tout semblait calme. C'est à peine si l'air tremblait. Je pressai le pas.

Garée à cet endroit du chemin où un arbre tombé durant l'hiver barrait la route se trouvait ma voiture, que je gagnai rapidement dès ma sortie du bois.

16

Ces voix qui appellent dans la distance, je voudrais bien pouvoir les rendre aux forces de la nuit, mais me voici devant le Grand Memorial, à Washington, où des milliers de noms s'ouvrent au soleil sur le marbre noir. Des hommes s'y agenouillent en serrant dans leur poing un drapeau... Petits bouquets, lettres, oursons en peluche, poupées, menus souvenirs sont déposés au pied du mur, objets dont on a consenti à se séparer malgré la valeur sentimentale qui y est attachée. On laisse là ce qu'on a de plus cher comme si l'on pouvait toucher les morts avec son cœur, les faire revivre, un instant... Je me penche pour lire des petits poèmes agrafés à des couronnes de feuillages et de fleurs, écrits par des enfants dans des cahiers d'écoliers. Quelques rubans jaunes... Signes d'espoir, de retour, un jour... Des hommes grimpent dans une échelle jusqu'au haut du Memorial pour appuyer la paume de leur main sur un nom ou pour le calquer sur du papier transparent.

On peut trouver aux Archives nationales, à Washington, les documents les plus importants de l'histoire politique des États-Unis. Parmi les centaines de documents sur la guerre du Viêt-nam, 800 volumes ont été consacrés à la question des prisonniers de guerre et des disparus dans le Sud-Est asiatique. Je sais qu'aucune page du manuscrit n'y figure. J'ai fouillé dans je ne sais combien de fichiers, je n'ai rien trouvé. Alors je cherche un nom sur le Memorial, un nom qui serait gravé dans ce beau miroir funèbre où les arbres et l'ombre de la guerre se reflètent, ombre qui passe sur les visages méditatifs qui viennent lire les noms. Il y en a un peu plus de 58 000. Celui que je cherche se trouve au ras du sol! Chaque fois qu'une dépouille est rapatriée, on ajoute un nom sur le Memorial. Serait-ce un de ceux-là? En date de ce jour, 1253 soldats n'ont jamais été retrouvés. La liste dans le coffre indiquait 2300. C'est donc qu'elle n'était pas à jour. Mais que contiennent les cercueils qui reviennent, vingt ans après la fin de la guerre du Viêt-nam? Qu'une poignée d'os, pas toujours identifiables et quelquefois une dent seulement ou des os de chien. Cet homme serait-il mort en captivité, sous la torture ou par manque de soins médicaux? J'ai beau interroger le mur, cette hypothèse demeure invérifiable car nulle part son nom n'apparaît dans le système des prisons du Viêt-nam. Incompréhensible trou noir dans cette constellation de noms, et qui brille d'un éclat insoutenable dans un subit rayon de soleil, ajoutant encore à mon sentiment d'impuissance et d'abandon face à ce mur où, en compagnie des morts, glorieuses ou infamantes, je mesure celle des hommes à la dérive et qui ne sont plus que leur propre fantôme dans ces vastes étendues désertes qui laissent une marge infinie à l'inconnu.

«Ô monde fragile et éphémère des hommes!» que crie l'âme des survivants au pied de ce mur.

Partout, des kiosques où l'on vend toutes sortes d'artefacts de la guerre et des abonnements à des revues et à des journaux de vétérans. À l'écart de la foule, les kiosques des Vietnamiens: des *boat people,* des réfugiés, des victimes de la guerre. On dirait qu'Américains et Vietnamiens ne se parlent pas, qu'ils ne franchissent pas les limites de l'emplacement qui leur est réservé auprès du Memorial.

Beaucoup de gens défilent devant le mur... Nous sommes dimanche. Je suis arrivée, hier, en autobus, avec un groupe de vétérans du Viêt-nam et leur famille. Le voyage comprend la visite au cimetière d'Arlington où se trouve la tombe de Kennedy. Nous assistons au rituel de la relève de la garde, aux mouvements de manœuvre, marche et contre-marche des militaires qui sont de faction. Sanglés dans leur uniforme, ils ont chaud sous le soleil écrasant qui, en mai déjà, plombe sur la ville. La sueur coule sur leur visage où pas un cil ne cligne. Jour et nuit, les soldats veillent cérémonieusement sur la tombe de Kennedy où brille une éternelle flamme. Nous les regardons marcher lentement, d'un pas militaire. Tandis que la garde descendante reçoit le salut de la garde montante, le silence n'est troublé que par les multiples déclics des appareils-photos. La garde montante présente les armes alors que la corvée est remise. Au-delà, et s'étageant à perte de vue, les soldats morts reposent parmi d'immenses étendues d'herbe verte. Des arbres leur prodiguent leur doux ombrage. Sur chaque pierre, un nom. Le décompte des dépouilles est, ici, précis, et les morts sont en ordre et bien sous terre.

Mais combien absurde et affligeante la brièveté de certaines de ces vies!

○

Même émoi silencieux à Sainte-Catherine où l'on a érigé, non loin des écluses, un monument aux Canadiens morts au Viêt-nam. Tandis que le clairon fait entendre ses notes mélancoliques, nous observons une minute de silence. C'est un Amérindien qui prononce le discours de circonstance. Plusieurs Amérindiens se sont portés volontaires pour la guerre du Viêt-nam. Quelques-uns sont présents à cette cérémonie qui a lieu, chaque année, en automne. Des Marines sont venus de Plattsburgh, de Burlington. Le consul général des États-Unis est là ainsi qu'une représentante du ministère canadien des Anciens Combattants. On me dit que nombreux sont ceux qui sont retournés au Viêt-nam, plusieurs années après la fin de la guerre et que les blessures lentement guérissent. Lors de la grande fête du Têt que célèbre, chaque premier mois de l'an, la communauté vietnamienne de Montréal, les Québécois qui ont combattu au Viêt-nam sont invités à participer aux cérémonies. Le pays étranger survit en eux, de même que le sentiment, chez plusieurs, d'avoir trempé leurs bras dans un sang innocent, réveille des souvenirs obsédants, douloureux, terrifiants, qui ne cesseront jamais d'empoisonner leur mémoire.

○

Je m'étais bien promis de ne plus retourner à la maison, mais un dimanche, en me rendant à la campagne, j'ai fait un détour par ce chemin isolé de la Vallée que je n'avais pas emprunté depuis longtemps. Je suis allée revoir la gare. J'ai essayé de dessiner le paysage, les papillons, de voir les choses dans une autre perspective mais, soudain, une ombre a passé tout près de moi et j'ai vu un homme, debout sur le quai d'une gare déserte tandis qu'un enfant s'éloignait, en pleurant, dans un champ de coquelicots. L'ombre s'attarda, un instant, et il me sembla entendre un gémissement, à peine audible, sourdre des feuillages où luisait le soleil.

Était-ce une âme qui s'attardait sur terre, l'image d'un impossible repos ou d'un impossible oubli?

○

La maison dans la Vallée n'est plus. Elle a brûlé, je ne sais quel jour, quelle nuit. De cette sombre masure, unique regard sur des jours dont personne ne peut rendre compte, il ne reste plus que cendres, débris que veille le geai. Dès qu'on s'approche, il manifeste une telle indignation que l'on ne peut demeurer longtemps en ces jardins sauvages sans être saisi de crainte et l'on croirait entendre, dans le bruit confus des ruches cachées dans les broussailles, le bourdonnement continu d'un monde de ténèbres où plusieurs sont descendus pour n'en jamais revenir.

De la maison, de l'été heureux, il ne reste plus rien que ce désert du silence et de l'abandon.

Lithographié au Canada
sur les presses de
Métrolitho – Sherbrooke